UNA GUÍA PASO A PASO

Manual de

TRATAMIENTOS FACIALES, MANICURE Y MAQUILLAJE

Coordinación: Luis Lesur

EDITORIAL TRILLAS

México, Argentina, España
Colombia, Puerto Rico, Venezuela ®

Catalogación en la fuente

Lesur, Luis
    Manual de tratamientos faciales, manicure y maquillaje : una guía paso a paso. -- México : Trillas, 2001.
    80 p. : il. col. ; 27 cm.
    ISBN 968-24-6989-1

    1. Belleza personal. 2. Cara. 3. Piel. 4. Manicura.
I. t.

D- 646.726'L173m   LC- GT2340'L4.5

Derechos reservados
© 2001, Editorial Trillas, S. A. de C. V.,
Av. Río Churubusco 385, Col. Pedro María Anaya,
C.P. 03340, México, D. F.
Tel. 56 88 42 33, FAX 56 04 13 64

División Comercial, Calz. de la Viga 1132, C.P. 09439
México, D. F., Tel. 56 33 09 95, FAX 56 33 08 70

Miembro de la Cámara Nacional de la
Industria Editorial. Reg. núm. 158

Primera edición, enero 2001*
  ISBN 968-24-6989-1

Impreso en México
Printed in Mexico

Esta obra se terminó de imprimir y encuadernar
el 8 de enero del 2001,
en los talleres de Rotodiseño y Color, S. A. de C. V.

BM2 100 IW

En la elaboración de este manual participaron:

Diseño gráfico y fotografía

Carlos Marín
Olivia Ortega

Producción

Graciela Hernández
Blanca Chávez
Alejandra Caballero
Karen Yarza
Gabriela Molina
Marlene Díaz
Rosa Ma. Díaz

INTRODUCCIÓN

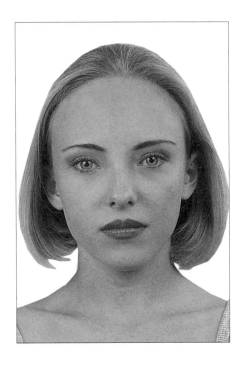

El maquillaje y los tratamientos para cuidar el cutis de la cara son costumbres antiquísimas, que han ido evolucionando con la moda y con la acumulación de conocimientos y sabiduría. Si bien, antes no eran tan frecuentes, ahora se han vuelto cosas cotidianas e indispensables para la mujer moderna. Este manual está dedicado a mostrar los diferentes tratamientos que se hacen al cutis de la cara para conservarlo saludable y bello de la mejor manera, así como su complemento en el arreglo de las uñas y la eliminación del vello innecesario del cuerpo.

Comienza con un análisis de la piel, en donde se describen cada una de sus partes y las alteraciones que pueden llegar a presentarse, para poder entender más profundamente los tratamientos faciales.

Luego se presenta un listado de los principales productos empleados en los tratamientos faciales, para pasar, en seguida, a la descripción de diversos tratamientos faciales, comenzando con la preparación del cliente y la limpieza facial.

 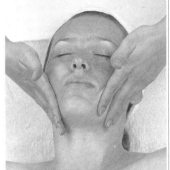

Enseguida se describen los masajes faciales para limpieza y penetración.

Prosigue una sección en que se trata de las mascarillas para la piel.

También se incluyen algunos tratamientos espesiales apropiados a los diferentes tipos de piel.

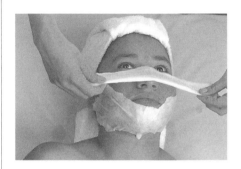 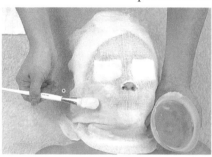

Una vez descritos cada uno los tratamientos para el cutis de la cara, se describe la secuencia correcta con que deben aplicarse según la constitución particular de la piel. En una sección aparte se describen los procesos de depilación del vello indeseable en diferentes partes del cuerpo.

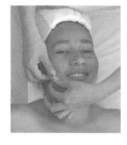

Un capítulo está dedicado al cuidado de las manos.

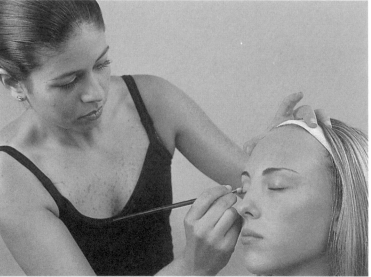

Finalmente, el último capítulo concierne al maquillaje. En él se muestran la manera de aplicarlo paso a paso y la secuencia de aplicación, siguiendo los principios generales del diseño facial.

ANÁLISIS DE LA PIEL

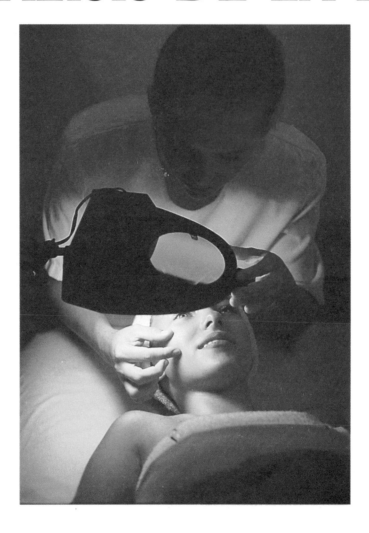

La piel es el más grande de los órganos del cuerpo. En un adulto llega a medir hasta 1.70 metros cuadrados y pesa alrededor de tres kilos, con un grosor que va de 0.2 a 0.5 milímetros y es de una complejidad increíble.

En un solo centímetro cuadrado de piel se encuentran:

10 cabellos

16 glándulas sebáceas

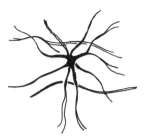

11 metros de nervios

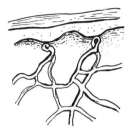

2.6 metros
de vasos
sanguíneos

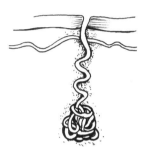

100 glándulas
sudoríferas

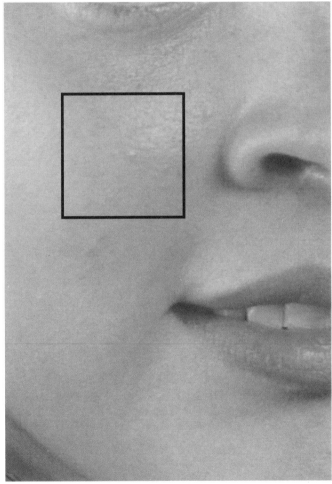

1 400 000 células

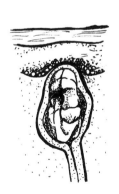

200 terminaciones
para el dolor

25 sensores de
la presión táctil

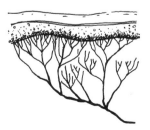

3 000 terminaciones
sensoriales al final de
las fibras nerviosas

12 sensores
para el calor

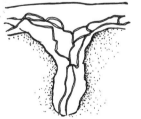

2 sensores
para el frío

ESTRUCTURA Y FUNCIÓN

La piel sirve como una cubierta protectora del cuerpo, entre cuyas funciones está la regulación del calor, el sentido del tacto y parte de la secreción, la excreción, la absorción y la respiración.

La **epidermis** es la capa externa de la piel.

La **dermis** es la capa interna, una masa semisólida, muy sensible, hecha con una mezcla de fibras de colágeno, retícula y elastina, donde se alojan los nervios, vasos sanguíneos y linfáticos, glándulas, folículos de cabello y músculos de la piel.

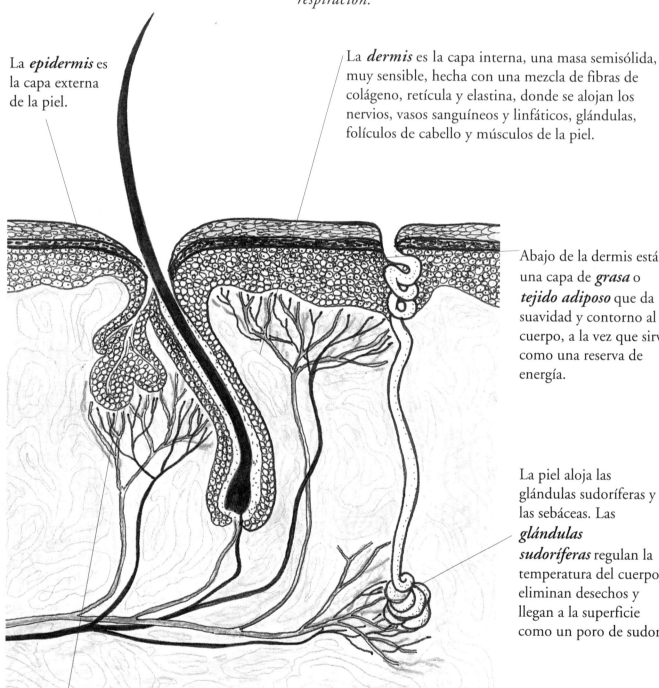

Abajo de la dermis está una capa de **grasa** o **tejido adiposo** que da suavidad y contorno al cuerpo, a la vez que sirve como una reserva de energía.

La piel aloja las glándulas sudoríferas y las sebáceas. Las **glándulas sudoríferas** regulan la temperatura del cuerpo, eliminan desechos y llegan a la superficie como un poro de sudor.

Las **glándulas sebáceas** son pequeños sacos cuya boca sale a los folículos o cavidades de la raíz del cabello. La grasa o sebo que secretan, además de evitar la evaporación de la humedad, forma una cobertura ácida que protege la piel contra la penetración de gérmenes.

TRASTORNOS DE LA PIEL

Las glándulas sebáceas presentan varios desórdenes, entre los que destacan los comedones o puntos negros, los puntos blancos, los barros, el acné, la rosácea, la seborrea, la asteatosis, el quiste sebáceo, los quistes y los forúnculos.

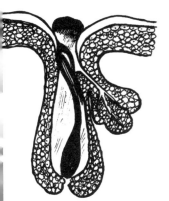

Los **comedones o puntos negros** se ven sobre la piel precisamente como eso: como pequeños puntos negros en la cara, el pecho, los hombros y la espalda. Particularmente durante la adolescencia es cuando se estimula la actividad de las glándulas sebáceas.

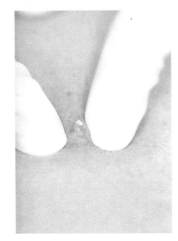

Un punto negro es una masa de sebo endurecido que tiene la punta oxidada, por lo que se pone negra. Se forma en un folículo de cabello debido un exceso de grasa y de células muertas, hasta constituir un tapón. Al exprimirlo sale como un gusano de sebo.

Los **puntos blancos** se ven como diminutos granos de arena clara en la cara, el pecho, los hombros o la espalda, y son el resultado de la acumulación bajo la piel de células muertas y sebo.

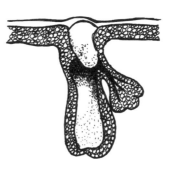
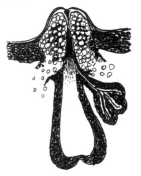

Los **barros** son folículos que se llenan de sebo, células muertas, bacterias y pus, por lo que se inflaman y se ven rojizos, con una pequeña cabeza amarillenta cuando maduran. Cuando el barro madura y se rompe cerca de la superficie de la piel no deja cicatriz, pero si se rompe adentro de la piel, tarda más en sanar y puede dejar marcas permanentes.

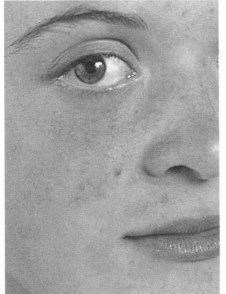

El **acné** es una inflamación crónica de la piel, que afecta a más de la mitad de los adolescentes, en algunos casos de manera feroz, no sólo desfigurando su piel y su cara, sino también afectando su personalidad.

El acné aparece bajo la influencia de los cambios hormonales de la adolescencia, y puede desaparecer al terminar este periodo de crecimiento. Se supone que se agrava cuando hay falta de higiene, tensiones emocionales excesivas y dietas grasosas.

Cuando hay acné, los puntos negros, puntos blancos y barros se producen con una frecuencia y abundancia tal, que la piel se inflama de manera permanente, volviéndose aceitosa, flácida y débil, sin tono, con abscesos profundos que dejan marcas permanentes.

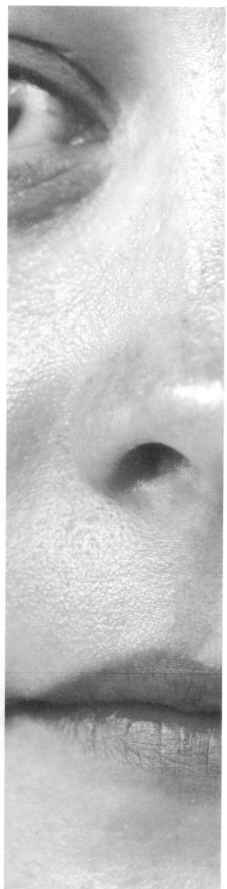

OTROS TRASTORNOS DE LAS GLÁNDULAS SEBÁCEAS

La **rosácea o acné rosácea** es una inflamación enrojecida de las mejillas y la nariz.

La **seborrea** consiste en una producción exagerada de grasa.

La **asteatosis** es el envejecimiento de las glándulas sebáceas, por lo que la piel se vuelve seca, escamosa y, a veces, agrietada.

Los **quistes sebáceos**, salvo cuando son muy grandes, no se ven, sino se sienten, con un tamaño que va desde un chícharo hasta una naranja. Se eliminan con cirugía.

El **forúnculo** es una especie de barro grande bajo la piel, profundo, lleno de bacterias y pus, inflamado, enrojecido y doloroso, que requiere de tratamiento médico.

OTROS DESÓRDENES DE LA PIEL

Existen otros trastornos de la piel que no están directamente vinculados con el funcionamiento de las glándulas sebáceas, cuyo tratamiento es asunto de una especialidad médica llamada dermatología.

Entre los más comunes están las manchas, las ronchas, las ampollas, las verrugas y mezquinos, las costras, las excoriaciones, escamas, fisuras, estrías, úlceras y decoloraciones anormales.

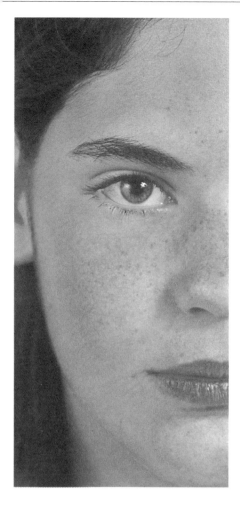

TIPOS DE PIEL

Los tratamientos faciales se diseñan y realizan en función del tipo de piel que tenga la persona a quien se van a aplicar. Se puede distinguir cerca de una decena de tipos de piel, como la normal, la seca, la senil, la grasosa, la de poros abiertos, la que tiene acné, la que tiene seborrea, la rosácea, la piel venosa y la piel combinada, que tiene más de un tipo.

PIEL NORMAL

La piel normal tiene la cantidad correcta de grasa y humedad, y está libre de defectos, de modo que los tratamientos solamente la ayudan a mantenerse sana y atractiva, limpia, sin células muertas ni impurezas en sus poros.

PIEL SECA

A la piel seca le falta humedad o grasa, o ambas cosas. Tiene una apariencia seca, áspera y en casos extremos, delgada, escamosa y arrugada.

PIEL MADURA O SENIL

La piel madura es floja, generalmente arrugada, con menos tono, debido al envejecimiento natural del cuerpo.

PIEL GRASOSA

La piel grasosa se ve más gruesa que la piel normal, con sus poros más grandes, que fácilmente se llenan de sebo y mugre.

Cuando la piel grasosa no se limpia correctamente, en su superficie se acumula mugre, células muertas y grasa que pueden llegar a tapar los poros, produciéndose puntos negros y puntos blancos, que si se infectan se convierten en barros, y la abundancia de barros, en acné.

PIEL CON POROS ABIERTOS

La piel con poros abiertos es proclive a que sus conductos se llenen de grasa y desechos, que impiden que se cierren, con lo que se hacen más evidentes.

PIEL CON ACNÉ

La piel con acné es una piel grasosa, difícil de tratar. Su control requiere una buena dosis de paciencia y constancia. Aunque no todas las personas con puntos negros y blancos, barros y espinillas, desarrollan acné, todas las personas con acné tienen puntos negros, pues el barro comienza, precisamente, como un punto negro o como un poro tapado.

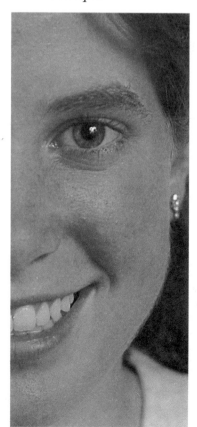

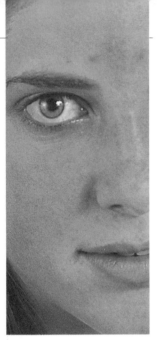

PIEL COMBINADA

La piel combinada tiene dos o más trastornos diferentes. Puede ser grasosa en la frente y la nariz y seca en el resto de la cara. En ese caso, se requieren dos tratamientos locales diferentes, uno para cada condición.

PIEL CON SEBORREA

La seborrea es una cantidad excesiva de sebo que se acumula en el cuero cabelludo, donde resulta un excelente alimento para unos hongos microscópicos que se alimentan de esa grasa y la convierten en escamas conocidas como caspa.

PIEL ROSÁCEA

Aunque con la piel rosácea toda la cara aparece enrojecida, las partes más afectadas son la nariz y las mejillas, donde pueden aparecer inflamaciones semejantes al acné, pero a diferencia de éste, que es un padecimiento de la adolescencia, la rosácea rara vez aparece antes de los 35 años, y se agrava por el consumo de alimentos picantes y alcohol. Se controla médicamente.

PIEL VENOSA

En este caso, se alcanzan a ver los vasos capilares a través de la piel. Aparecen como pequeñas ramificaciones rojizas, más prominentes cuando la piel es delgada. Algunas veces los vasos capilares no soportan la presión de la sangre que pasa por ellos y se rompen, apareciendo bajo la piel pequeños puntos rojos o morados.

ANÁLISIS DE LA PIEL

Para hacer un tratamiento facial apropiado a la condición particular del cutis de una persona, antes es necesario analizarla para precisar su condición.

El análisis se debe hacer con la piel limpia, siguiendo el proceso de limpieza profunda que se indica más adelante.

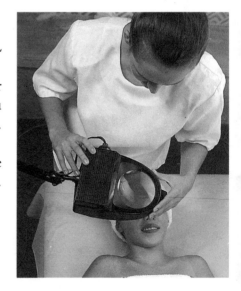

La piel se examina cuidadosamente tramo por tramo, con la ayuda de una lámpara de aumento, pellizcando de vez en cuando una pequeña sección, para apreciar mejor su textura, la limpieza de sus poros y otras condiciones.

ANÁLISIS DE PRODUCTOS

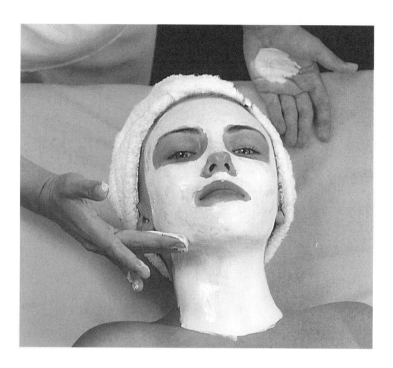

En todos los tratamientos faciales se aplica algún producto a la piel, ya sea para limpiarla, desengrasarla, rehidratarla, suavizarla o simplemente para mejorarla. Estos productos pueden ser agua simple o vapor, mascarillas de barro, cremas limpiadoras, lociones astringentes, etc. Existe una diversidad de productos faciales, cuyo conocimiento es indispensable para saber elegirlos y poder aplicarlos con acierto.

PRESENTACIÓN

Estos productos pueden ser lociones, cremas, ungüentos, pastas, gels, polvos, barras o sustancias en aerosol.

INGREDIENTES Y SU FUNCIÓN

Los ingredientes de los productos de belleza se pueden dividir en dos grandes grupos: los activos, *es decir, aquellos que tienen alguna acción directa sobre la piel, y los* inactivos, *que sólo ayudan a la presentación y conservación del producto.*

Los principales ingredientes activos que se usan en los productos para tratamientos de belleza son los siguientes:

Aceite de aguacate   Se utiliza como suavizante o emoliente para la piel deshidratada.

Aceite de ajonjolí   Se emplea como humectante y emoliente.

Aceite de cártamo   Se usa como lubricante y suavizante.

Aceite de coco   Apreciado por sus cualidades limpiadoras, calmantes y lubricantes, se emplea en shampoos, limpiadores y jabones.

Aceite de germen de trigo   Se utiliza como emoliente.

Aceite de Linaza   Es un aceite emoliente, es decir, que desinflama, ablanda y suaviza la piel, y es extraído de la semilla de la planta del lino.

Aceite de oliva   Extraído de las aceitunas, se emplea como lubricante en jabones y cremas.

Aceite de ricino   Se usa como emoliente y calmante.

Aceite de soya   Se emplea como humectante.

Aceite mineral   Derivado del petróleo, se usa como emoliente, lubricante y limpiador de la piel grasosa.

Aceites esenciales   Extraídos de diversos vegetales de manera que conserven las mismas propiedades que las plantas de las que derivan, se usan como aromáticos, cosméticos y como sustancias curativas.

Ácido bórico   Es un antiséptico suave, ya sea en polvo, en cristales o en solución.

Ácido cítrico   Es un derivado de los limones, naranjas y limas. Tiene cualidades antioxidantes y astringentes.

Ácido esteárico o estearina   Es una sustancia cristalina con fuerte olor a sebo, que se extrae de las grasas animales.

Ácido oleico   Es un ácido derivado de las aceitunas, que se emplea como lubricante, suavizante y acondicionador.

Ácido salícilico   Es un ácido orgánico, y se usa como desinfectante.

Alantoina   Es un agente curativo que estimula el crecimiento de tejidos nuevos y saludables, y se usa en diversos cosméticos por sus cualidades calmantes.

Alcanfor   Es una sustancia aromática extraída de la madera del eucalipto, que se usa por sus propiedades calmantes, refrescantes y astringentes.

Alcohol   Ya sea líquido o como cera sólida, se emplea como solvente y antiséptico, en perfumes, lociones y tónicos.

Algas   Se usan en las mascarillas faciales para remineralizar y revitalizar la piel, debido a su rico contenido de sales minerales y hormonas vegetales.

Almendra   Es una semilla que molida y hecha pasta, se frota en la piel para eliminar las células muertas y la suciedad de los poros. Su aceite se usa en lociones y cremas limpiadoras y humectantes.

Aloe o sábila   El jugo de las hojas de esta planta tiene cualidades curativas y calmantes.

Alumbre Es un compuesto de aluminio y potasio con una fuerte capacidad astringente, es decir, que cierra, aprieta y contrae los tejidos. Se usa en tónicos y lociones para la piel.

Amoniaco Es un líquido con olor muy fuerte y penetrante que disuelve rápidamente la grasa, por lo que se usa como limpiador y también como aclarador del cabello, junto con el peróxido de hidrógeno.

Bálsamo de menta Se emplea en mascarillas y lociones, porque produce una sensación de frescura estimulante en la piel.

Bálsamo del Perú Por sus cualidades curativas y calmantes, la resina aromática de este árbol se emplea en jabones, acondicionadores de cabello y lociones para el cuerpo.

Benjuí Es un bálsamo aromático que se obtiene de la resina del árbol de ese nombre. Crece en las islas de Sumatra y Java.

Bicarbonato de sodio Es un polvo blanco que se usa principalmente para neutralizar la acidez.

Calamina Es un carbonato de zinc rojizo, y se usa como calmante.

Caolín Es una arcilla blanca para cerámica que se usa en algunos cosméticos como absorbente.

Cera de abeja Se usa en los cosméticos y mascarillas por sus cualidades emulsificadoras.

Colágeno Es una proteína que se encuentra en la dermis de la piel, pero para fines cosméticos se obtiene de la placenta de las vacas, por su notable propiedad suavisante del cutis en cremas, lociones y mascarillas faciales.

Cresol Es un desinfectante derivado de la hulla.

Espermaceti Es un emoliente o suavizante producido en laboratorio para remplazar el esperma de ballena.

Fenol   Es un desinfectante derivado del alquitrán de hulla.

Ginseng   Se emplea en algunos cosméticos como estimulante por el principio activo de la raíz de esa planta.

Glicerina   Es un líquido meloso y dulce, extraído de la descomposición de aceites y grasas, para usarse como suavizante y humectante de la piel en cremas y lociones.

Goma de tragacanto   Es un pegamento usado para mantener el cabello en su lugar y preparar algunos cosméticos; se extrae de la leguminosa del Tragacanto que crece en Líbano y en México, donde se conoce como *Chumbera*.

Hamamelis   Un extracto de las hojas y corteza de este arbusto, mezclado con alcohol y agua, es un excelente limpiador y astringente para la piel.

Huevo   Se emplea por sus características emolientes o suavizantes. La albúmina de la clara de huevo deshidratada y hecha polvo se emplea en las mascarillas faciales.

Lanolina   Es un grasa amarillenta que se obtiene de la lana de las ovejas, y se usa en cremas y ungüentos debido a que es capaz de absorber agua, glicerina o soluciones salinas en una cantidad mayor que su propio peso.

Maicena o harina de maíz   Tiene propiedades calmantes y absorbentes apropiadas para la renovación de los tejidos. Se usa principalmente en las cremas para cutis manchado.

Manteca de cacao   Grasa obtenida del cacao blanco, se utiliza como lubricante en jabones, cremas y lápices labiales.

Manzanilla   El extracto o aceite esencial de esta planta es apreciado por sus propiedades curativas y calmantes.

Óxido de zinc   Es un producto medicinal muy antiguo usado en talcos y ungüentos para aliviar algunos trastornos de la piel.

PRODUCTOS DE BELLEZA

Los productos que se hacen con las sustancias que acabamos de ver se pueden clasificar dentro de tres grandes categorías: limpiadores; productos para el cuidado de la piel y cosméticos.

LIMPIADORES

Los limpiadores, que están destinados a eliminar la mugre, los malos olores y el vello indeseable, se pueden agrupar, a su vez, en: jabones y detergentes; sales y aceites para el baño de tina; talcos y aceites para después del baño; desodorantes y depiladores.

PRODUCTOS PARA EL CUIDADO DE LA PIEL

Los productos para el cuidado de la piel tienen la finalidad de normalizarla, suavizarla, humedecerla, secarla, desinflamarla o compactarla, según se requiera, para hacerla más bella, particularmente en la cara. Los principales artículos para su cuidado son las cremas y las lociones, entre las que destacan las siguientes:

CREMAS

Cold cream

Hecha a base de cera de abejas o de cera mineral, bórax, agua y algún perfume, se usa para limpiar la piel seca y la piel normal.

Crema líquida limpiadora

Elaborada con aceite, grasa mineral, perfume y una ligera cantidad de agua, se emplea para limpiar la piel grasosa debido a que se evapora rápidamente, sin penetrar en la piel. Su uso continuo en piel normal produce resequedad.

LOCIONES

Loción limpiadora

A base de alcohol y compuestos de sulfuro, se usa para limpiar la piel grasosa.

Loción astringente

Con zinc, alumbre, ácido bórico o ácido salisílico en una base de agua con alcohol y glicerina, se utiliza para limpiar la cara grasosa y cerrar los poros abiertos.

CREMAS

LOCIONES

Crema de día o crema de base

Hecha con agua, ácido esteárico y algún agente alcalino, además de crema de cacao, lanolina, glicerina y alcohol, se usa antes del maquillaje y como crema de manos, para formar una capa protectora.

Crema emoliente

También llamada *crema para los tejidos*, o *crema desinflamante*, está hecha a base de ceras, lanolina, grasas, aceites vegetales, alcohol y otros ingredientes que penetran ligeramente en el cutis, lo suavizan y desinflaman.

Crema hormonal

Está hecha sobre una base emoliente a la que se agregan hormonas sexuales que evitan la resequedad y las arrugas en la piel de edad mediana.

Crema humectante

Es generalmente una crema emoliente, a la que se le agregan sustancias humectantes para ayudar a la piel seca.

Crema astringente

Está formulada a base de óxido de zinc y un astringente a fin de quitar la grasa excesiva y cerrar los poros.

Loción refrescante

Elaborada con leche de avellanas, alcanfor, ácido bórico, ácidos orgánicos suaves, perfumes y colorantes, se usa para la piel seca.

Loción para acné

Con sulfuros, glicerina, alcanfor, alcohol y agua destilada, sirve para lavar la piel con acné simple.

Loción de calamina

Con polvo de calamina, óxido de zinc en glicerina, bentonita y agua de lima, para aliviar la piel irritada y se usa como loción protectora.

Loción de Hamamelis

Una solución de alcohol y agua a la que se agrega el extracto de *hamamelis* o *witch hazel*, para servir de loción astringente y refrescante.

Loción desincrustante

Contiene bicarbonato de sodio y otras sustancias que suavizan y emulsifican los depósitos de grasa y los puntos negros de la cara.

CREMAS

Crema para epidermoabrasión

Contiene enzimas capaces de descomponer y disolver las células muertas de la epidermis.

Crema para acné

A base de ácido bórico, sulfuros, óxido de zinc, alcanfor, benjuí y ácidos salisílicos, que ayudan a limpiar y mejorar la cara con acné, sin irritarla.

Crema para masajes faciales

Hecha con *cold cream* a la que se agregan agentes suavizantes, de manera que no penetren en la piel y al mismo tiempo faciliten el masaje.

Crema base de maquillaje

Contiene un contenido ligeramente más alto de glicerina, para dar a la cara una base apropiada para el maquillaje.

Crema de ojos y cuello

Se elabora con lanolina, aceites vegetales y productos astringentes, para suavizar y atenuar la arrugas.

Crema bronceadora

Contiene pigmentos para dar la apariencia de una piel tostada al sol.

LOCIONES

Loción para evitar las quemaduras de sol

Con salisilicato de metilo, alcohol, glicerina y agua, ayuda a filtrar el paso de los rayos ultravioleta provenientes del sol.

Loción para las quemaduras de sol

A base de agentes refrescantes o astringentes, como el alcanfor, diluidos en alcohol y glicerina con agua, sirve como alivio a las quemaduras de primer grado producidas por el sol.

COSMÉTICOS

Cosmético es una palabra que viene del griego *kosmetikós*, quiere decir adornar o componer, de donde se deriva su significado actual. Abarca los productos hechos para hermosear la piel y el pelo, principalmente a base de colores.

PROCESOS Y TÉCNICAS FACIALES

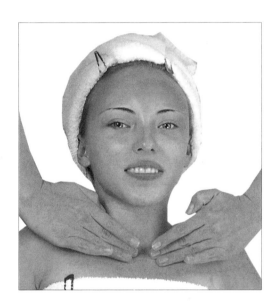

L os tratamientos de belleza para la cara implican varios procesos, cada uno con su técnica particular, de las que hablaremos en este capítulo.

Preparación

La mayoría de las veces, los tratamientos faciales requieren trabajar también sobre el cuello y parte de los hombros, de modo que los clientes deben retirar su ropa de esa parte. Para hacer esto con comodidad se suele dar una pequeña bata sin tirantes, o una toalla con broche, de modo que las mujeres se puedan quitar la blusa y bajar su ropa interior de los hombros, para ocultarla, sin quitarla.

El tratamiento facial se acostumbra hacer con el cliente recostado, ya sea en una silla especial reclinable o sobre una mesa angosta, donde pueda quedar agradablemente acostado, sin sus zapatos, cubierto por una manta, con una toalla en el pecho.

Para proteger el pelo se usa una toalla doblada en triángulo que se coloca bajo la nuca, cuyas puntas laterales se llevan hacia la frente para cubrir la cabeza y fijarlas con un par de pasadores o con clips para el pelo.

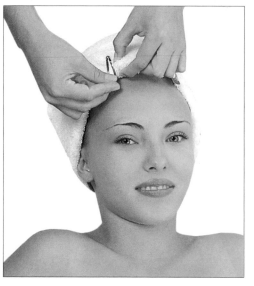

LIMPIEZA

APLICACIÓN DEL LIMPIADOR

Para comenzar la limpieza, distribuya en sus dedos un poco de *cold cream* o de loción limpiadora apropiada para el tipo de piel de la persona.

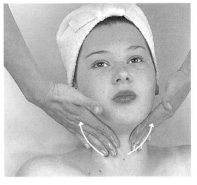

Comience a aplicarla, siempre con movimientos circulares, en el cuello y atrás de las orejas y bajo los lóbulos.

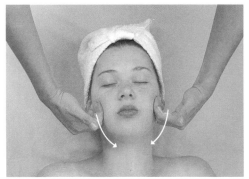

Luego, lleve sus dedos a lo largo de la mandíbula, hasta la barbilla.

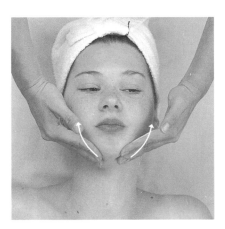

Suba los dedos desde la barbilla hasta las mejillas...

los lados de la nariz...

las aletas...

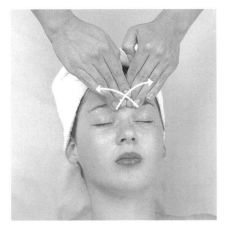

la frente, las sienes y las cejas...

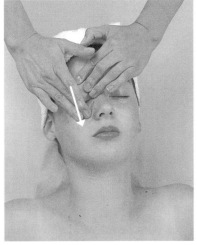

y por último, los párpados.

Repita todo el proceso entre tres y cinco veces, hasta que la loción limpiadora quede muy bien aplicada.

ELIMINACIÓN DEL LIMPIADOR

La loción limpiadora se retira con almohadillas de esponja o de algodón.

PREPARACIÓN DE ALMOHADILLAS

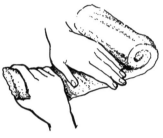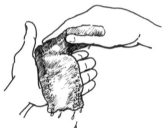

Las almohadillas de algodón se pueden comprar o preparar. Se hacen de un rollo de algodón que se rasga en tres tiras iguales, de las que se cortan piezas de unos 10 cm de largo.

Luego, cada trozo se sumerge uno a uno, en un traste con agua tibia, para enseguida formar una almohadilla circular que se exprime sobre la palma de la mano.

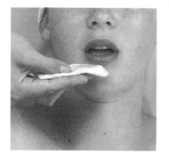

Antes de quitar la loción limpiadora, si es necesario retire completamente el lápiz de labios de la boca, con un pañuelo desechable humedecido con unas gotas de loción limpiadora.

La limpieza se hace con almohadillas de algodón o con esponjas húmedas y se sigue una secuencia similar a la de la aplicación de la crema limpiadora, con movimientos deslizantes siempre hacia arriba.

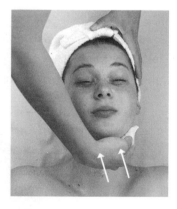

Se comienza por limpiar el cuello, sin presionar demasiado el hueso de la manzana de Adán, luego, abajo de la barbilla, bajo la mandíbula y bajo la oreja.

A continuación se limpia la mejilla...

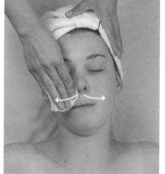

...la zona de la nariz y el labio superior...

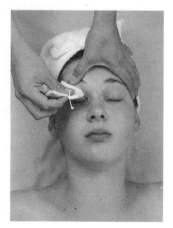

... el centro de la frente hasta las sienes y los párpados.

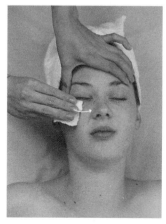

Finalmente deslice, con gran cuidado, la orilla limpia de la almohadilla y afloje y limpie el rímel.

Todo este proceso se repite tres a cinco veces en cada lado de la cara.

VAPORIZACIÓN

La vaporización ayuda a abrir los poros, suaviza las células muertas, estimula el funcionamiento de las glándulas sebáceas y sudoríferas, aumenta la circulación de la sangre, deja la piel suave, reluciente y relaja al cliente.

El vapor en la cara se puede aplicar con un vaporizador especial o mediante una toalla caliente. El vaporizador es un pequeño aparato que arroja vapor al que se puede agregar algún aceite esencial que ayude a la condición particular del cutis del cliente.

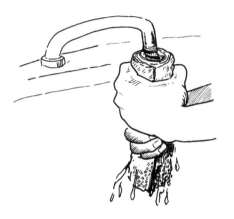

Las toallas para la vaporización miden 40 cm por 60 cm. Se doblan por la mitad y después otra vez por la mitad, para enseguida sumergirlas en agua muy caliente. También se pueden doblar como cilindro, para sostenerlas verticalmente en la boca de la llave de agua caliente.

Las toallas se exprimen y colocan sobre la cara, desdobladas hasta el primer doblez, directamente abajo del labio inferior cubriendo la barbilla, la mandíbula y el cuello.

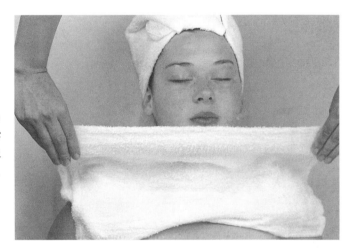

Enseguida, sus extremos se doblan hacia arriba para tapar la parte superior de la cara, dejando libres lo orificios de la nariz y la boca, para que el cliente pueda respirar y hablar.

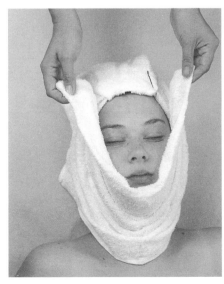

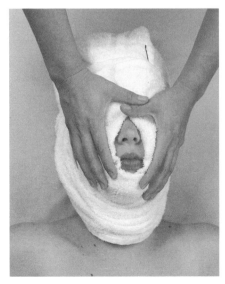

Finalmente, la toalla se comprime contra la cara donde se deja dos minutos, tiempo que se aprovecha para preparar la siguiente y colocarla. Así se continúa hasta completar 10 minutos.

MASAJE

El masaje en la cara estimula la circulación sanguínea, ayuda a la nutrición de la piel y los músculos, estimula la secreción de sebo y sudor, facilita sacar la mugre, la grasa y otras impurezas.

El masaje tiene un triple efecto. Por una parte reafirma el tono de la piel y el tejido interno; por otra, la suaviza y hace más flexible, prolongando su juventud; finalmente, es sedante, por lo que el cliente se siente renovado y con más energía.

MOVIMIENTOS DE LAS MANOS

En el masaje se emplean cinco movimientos básicos de las manos: sobadas, pellizcos, fricción circular, percusión y vibración.

Las **sobadas**, son movimientos deslizantes, contínuos, lentos y rítmicos, que se hacen siguiendo el sentido de los músculos, para no lastimarlos.

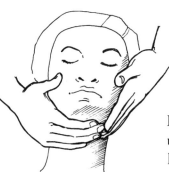

En las superficies grandes se usa la palma de la mano; en las pequeñas sólo los dedos.

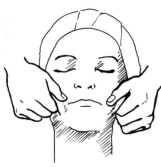

En el **amasado**, la piel se toma entre el pulgar y el índice con una presión ligera pero firme, para levantarla, estrujarla, enrollarla y pellizcarla con movimientos suaves y rítmicos, que ayudan a la circulación, tonifican la piel y eliminan algunas obstrucciones en los ductos de sebo.

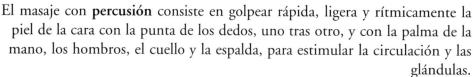

El masaje con **percusión** consiste en golpear rápida, ligera y rítmicamente la piel de la cara con la punta de los dedos, uno tras otro, y con la palma de la mano, los hombros, el cuello y la espalda, para estimular la circulación y las glándulas.

La **fricción** es un masaje que se hace moviendo los dedos en círculo, a la vez que se presiona sobre la piel, para que el masaje sea profundo y no superficial.

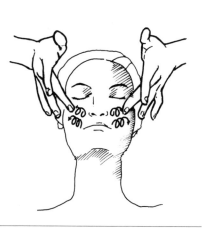

La **vibración** es un masaje que se hace presionando los dedos en un punto mientras se vibran, mediante contracciones rápidas de los músculos de las manos y los brazos, de manera parecida a como vibra u oscila un vibrador eléctrico, con el cual también se puede realizar este masaje.

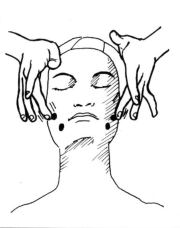

Existen diversos tipos procedimientos y secuencias para realizar un masaje facial. Aquí nos vamos a referir a tres de ellos: el primer masaje es una continuación del proceso de limpieza; el segundo, tiene como propósito ayudar a que penetren en la piel las cremas y lociones que se le aplican; el tercero es un masaje útil cuando se trata de una piel grasosa o con acné.

MASAJE PARA LIMPIEZA

El cliente debe estar recostado boca arriba, todavía cubierto con las toallas y mantas que se usan para la limpieza de la cara.

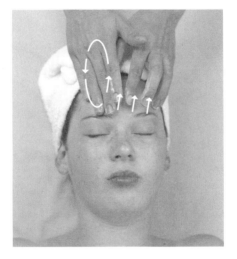

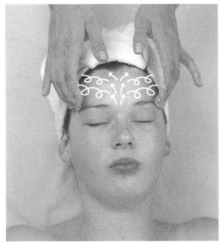

PRIMERO: MASAJE EN LA FRENTE

Se comienza por aplicar crema para masaje y golpetear toda la frente rítmicamente, con movimientos ascendentes, que comienzan en el entrecejo y terminan en la sien, en un recorrido que se repite cinco veces. Luego se hace otra vez lo mismo, pero con movimientos circulares rápidos.

SEGUNDO: MASAJE ALREDEDOR DE LOS OJOS

Después de la frente, enseguida se soba alrededor de los ojos, seis a ocho veces. Luego, se hace un masaje con un golpeteo ligero de las yemas alrededor de los ojos, como si se estuviera tocando el piano, con movimientos que parten de la sien, siguen bajo el ojo, yendo hacia la nariz, para subir hacia la ceja y regresar de nuevo a la sien, sin golpear directamente sobre el ojo.

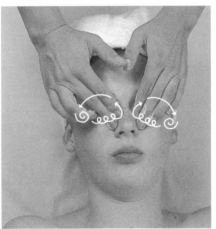

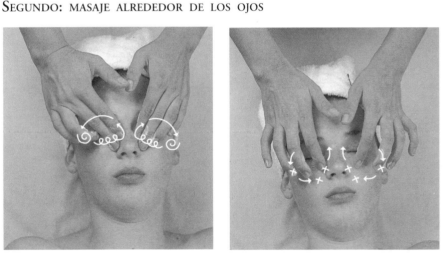

TERCERO: MASAJE EN LA NARIZ Y MEJILLAS

Ahora, con un movimiento circular, se masajea la nariz y las mejillas, llegando hasta las sienes, regresando bajo los ojos para terminar de nuevo en la nariz. Estos movimientos se repiten seis veces. Enseguida, sobre esas mismas partes se hace una sobada continua, con movimientos deslizantes que se repiten seis veces.

CUARTO: MASAJE EN LA BOCA Y LA BARBILLA

Al terminar, se inicia en la barbilla un masaje circular que sube a las comisuras de la boca, hacia los lados de la nariz, las mejillas hasta llegar a las sienes y abajo del lóbulo, en movimientos que se repiten seis veces.

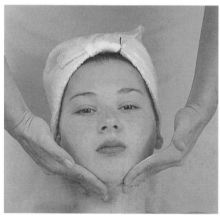

Enseguida, al centro de la boca se inicia una sobada con movimiento de tijeras, colocando un dedo arriba y otro abajo de los labios, para avanzar hacia el pómulo, donde se detienen, para iniciarlo otra vez desde el centro de la boca. En este caso, el masaje del lado derecho de la cara se hace con la mano derecha y viceversa. Se repite seis veces.

Ahora, desde el centro del labio superior se inicia una sobada continua alrededor de la boca, hasta la parte de abajo del labio superior, para terminar bajo la barbilla, pasando por ella, en un movimiento que se repite seis a ocho veces.

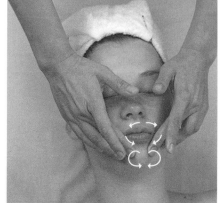

QUINTO: MASAJE EN LA MANDÍBULA Y CUELLO

Enseguida, se hace otra sobada continua con los dedos colocados como tijera, esta vez a lo largo del borde de la mandíbula, comenzando en la barbilla y terminando en el lóbulo de la oreja, primero con una mano y luego con la otra, lo cual se repite entre ocho y diez veces

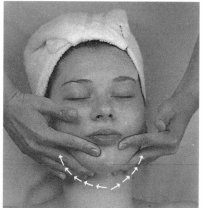

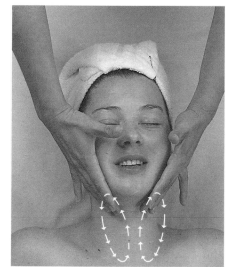

Ahora se realiza una sobada en el cuello, con pasadas hacia arriba por el frente y hacia abajo por los lados, diez veces.

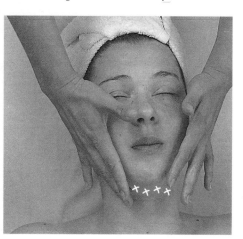

A continuación se hace un masaje por percusión en la parte de abajo de la barbilla, a base toques rápidos y ligeros de ambas manos, de manera rítmica y continua, hasta cubrir completamente la barbilla.

SEXTO: FINAL, DE LA BARBILLA A LA FRENTE

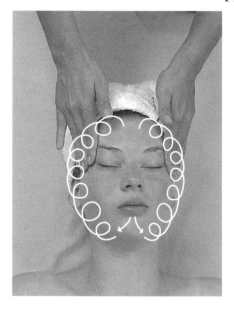

Con movimientos circulares se hace un masaje final continuo, que comienza en la barbilla y termina en la frente.

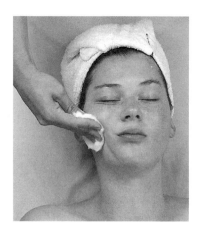

Luego, con almohadillas o esponjas rociadas con loción refrescante, se retira la crema que haya quedado sobre la piel.

MASAJE PARA PENETRACIÓN

El masaje de penetración tiene el propósito de ayudar a que las cremas y lociones se impregnen en la piel, a base de movimientos continuos, rítmicos y suaves, en los que una mano sigue a la otra.

Este masaje se da siempre después de que la piel se ha limpiado, para evitar que la mugre, las grasas y el maquillaje penetren todavía más en los poros, lo que resultaría contraproducente.

Para empezar, se pone en las puntas de los dedos el equivalente a una cucharada pequeña de la crema o la sustancia que se vaya a aplicar, y enseguida se distribuye en todas las manos.

PRIMERO: PECHO, ESPALDA Y CUELLO

El masaje comienza en la parte superior del pecho, pasa a los hombros, para llegar a la espalda, rumbo al cuello, con movimientos deslizantes, ascendentes, firmes y rítmicos, que se repiten seis veces.

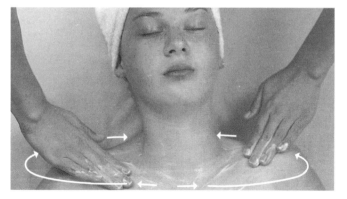

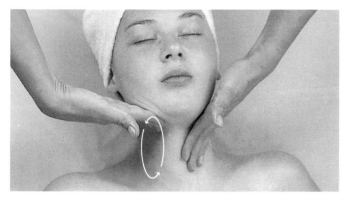

A continuación, con movimientos ascendentes se soba a lo largo de todo el cuello, sin llegar a la mandíbula.

Segundo: mandíbula, barbilla y mejilla

Enseguida, con movimientos ascendentes se soba desde abajo de la barbilla hasta el pómulo, 16 veces. Luego, alternando una mano después de otra, se soba la mejilla derecha con movimientos ascendentes y firmes 16 veces, y enseguida, la mejilla izquierda, otras 16 veces.

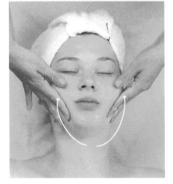
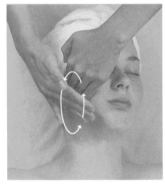

Tercero: labios y ojos

Ahora, con movimientos ascendentes en que una mano sigue a la otra, se soba la comisura del labio derecho, por 16 veces, para después hacer lo mismo con el izquierdo.

Después, con una tijera que se inicia en la parte media de la boca, se soba hasta la parte superior del pómulo.

Luego, se hace un masaje ascendente a un lado de la comisura exterior de los ojos, que se repite 16 veces.

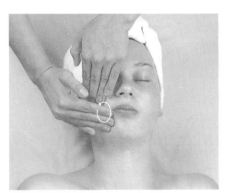

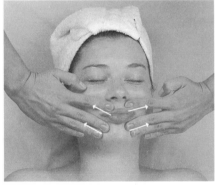

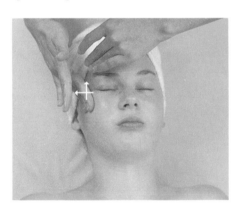

Cuarto: final, en la frente

El masaje se termina en la frente, alternando movimientos que comienzan en las cejas y terminan en el nacimiento del cabello. Este masaje se repite 16 veces, al inicio con presión firme, que debe ir disminuyendo paulatinamente, hasta que las manos se alejan poco a poco de la piel, como si se tratara de plumas.

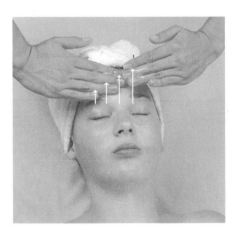

Si el producto que utilizó para el masaje de penetración deja una capa de grasa en la cara, es mejor que la retire frotando con un algodón o esponja húmeda con loción refrescante.

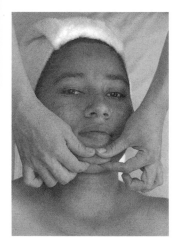

Masaje para piel grasosa

Este es un masaje efectivo para el tratamiento de la piel grasosa o con acné. Consiste en tomar una porción pequeña entre el pulgar y el índice, para girarla y torcerla suavemente, como si se estuviera amasando o pellizcando una cáscara de naranja para sacarle el zumo.

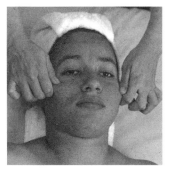

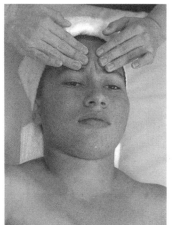

Estos movimientos propician que el sebo y la grasa salgan de los folículos, pero se deben hacer con mucho cuidado, para no lastimar ni producir dolor.

Generalmente se comienza en la barbilla, para seguir con las mejillas y terminar en la frente, donde la piel se presiona con las puntas de los dedos de ambas manos colocadas opuestas y luego llevadas una contra la otra.

Este masaje debe ir precedido de un proceso de desincrustación, que trataremos más adelante.

Extracción de puntos negros y blancos, barros y espinillas

Las manos del esteta deben estar escrupulosamente limpias, desinfectadas y con las uñas bien recortadas.

Puntos negros

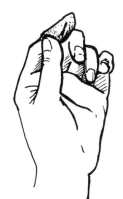

Para extraer los puntos negros lo mejor es usar algodón humedecido o rociado con una loción astringente para cada uno de los dedos índices. También se pueden usar unos guantes de hule delgados.

La extracción de puntos negros se debe iniciar después de la vaporización y de un masaje para piel grasosa.

Los dedos se colocan opuestos a los lados del punto negro, de modo que al apretarlo salga la grasa como un pequeño gusano, sin maltratar los tejidos, produciendo el mínimo de molestias y de dolor al cliente.

PUNTOS BLANCOS

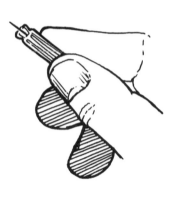

Para extraer los puntos blancos hay que romper la piel, pero no con la presión de los dedos, sino con una lanceta o aguja esterilizada que se consigue en las tiendas donde venden material quirúrgico.

La lanceta o aguja se coloca casi paralela a la piel para pinchar la parte saliente del punto blanco, que es una capa de células muertas, de modo que el pinchazo no produce dolor.

Una vez pinchado, se presiona suavemente, de igual manera que para sacar un punto negro.

BARROS Y ESPINILLAS

Antes exprimir un barro es importante que haya madurado, con el pus claramente visible como un punto blanco o amarillento.

Si el barro se exprime cuando no está maduro, con su pus todavía no claramente visible, es posible que se rompa, pero no sobre la superficie de la piel, sino dentro de ella, con lo que el pus y las bacterias que contiene se pueden extender y ocasionar más daños internos.

Si un barro maduro no se rompe fácilmente con una ligera presión, es preferible pincharlo con la lanceta.

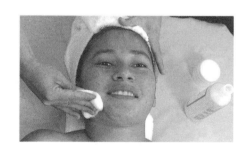

Si al presionar la primera vez no salen los desechos, gire sus dedos a otra posición y presione de nuevo, pero no con mucha fuerza, pues si el barro está maduro, bastará una presión ligera. Cuando el pus comience a salir continúe presionando desde puntos distintos hasta que aparezca un poco de sangre y un líquido claro. Luego, ponga un toque de loción astringente.

Jamás trate de pinchar un quiste o un barro cerrado y menos un forúnculo, porque es peligroso y se puede meter en problemas. Esos son casos para un dermatólogo, no para una persona dedicada a los tratamientos faciales.

ACNÉ

La piel con acné suele contener decenas de puntos negros, blancos y barros, que no es posible ni conveniente extraer en una sola sesión, porque la piel se irritaría innecesariamente.

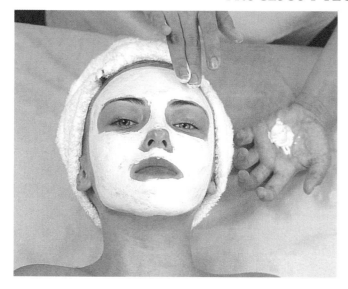

MASCARILLAS

Las mascarillas son sustancias diversas aplicadas sobre la cara, desde unos cuantos minutos hasta una hora, para que mejore la apariencia de la piel, la suavicen, la dejen más tersa, ayudando a eliminar manchas y otros defectos.

Las sustancias para las mascarillas se pueden comprar ya preparadas o mezclarlas uno mismo para hacer pastas. Pueden ser calientes o frías, pero siempre se aplican a la cara cuando están húmedas. Algunas se dejan secar sobre la cara.

Al retirar las mascarillas humedecidas con compresas de algodón, esponjas y agua, generalmente también se remueve el exceso de grasa, algunas impurezas y células muertas.

Las mascarillas se aplican como una de las etapas finales del tratamiento de belleza, siempre sobre una cara a la que se le ha hecho una limpieza profunda y masaje.

MASCARILLAS COMERCIALES

Existen en el mercado una gran variedad de sustancias para mascarillas formuladas para los distintos tipos y condiciones de la piel, elaboradas por profesionales confiables, con lo que se ahorra tiempo y dinero.

MASCARILLAS DE PRODUCTOS FRESCOS

Muchas veces se prefiere una mascarilla a base de sustancias frescas, que es necesario preparar en el momento, con frutas, verduras, yerbas, leche, huevos, extractos o aceites.

Estas mascarillas son estimulantes, algunas veces astringentes o calmantes, ricas en vitaminas, minerales, potasio, fósforo y aceites naturales.

MASCARILLAS DIRECTAS

Las sustancias de las mascarillas se pueden aplicar directamente en la cara y mantenerse en ella si son lo suficientemente pastosas como para adherirse a la piel y no escurrirse, como los lodos, caolines, cremas y gels.

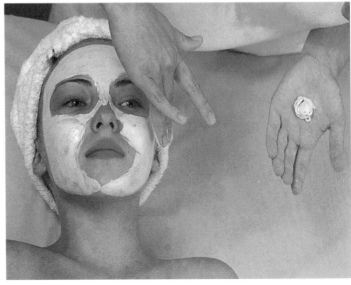

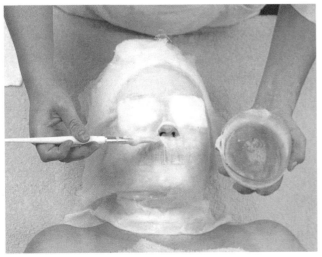

Pero cuando las sustancias de las mascarillas no se retiran por sí mismas, se usa como soporte o apoyo una gasa húmeda.

Si se trata sino de un líquido, como en las mascarillas de infusión, entonces la mascarilla se hace con una compresa de algodón empapado en el té o líquido que se vaya a aplicar.

Las mascarillas directas que se secan sobre la cara se quitan con compresas de algodón a las que se pasa encima un hielo, cuya agua derretida humedece la mascarilla a la vez que tonifica la piel y cierra los poros.

Los restos de la mascarilla que queden en el rostro se eliminan con almohadillas o esponjas húmedas con alguna loción refrescante.

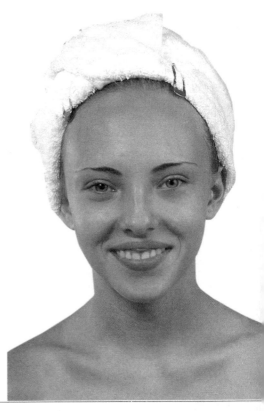

MASCARILLAS CON GASA

La gasa que se emplea en las mascarillas es una tela delgada, rala, suave, de algodón, que se usa en la cocina para colar, como mosquitero en las recámaras, para pañales y para muchos otros usos. Se conoce como manta de cielo.

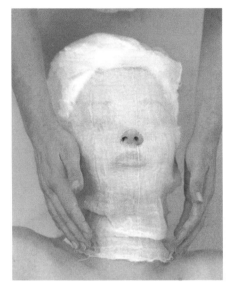

Se corta y humedece un trozo de gasa de tamaño suficiente para cubrir toda la cara y el cuello, amoldándolo a ella. No es necesario hacerle agujeros para la nariz, sin embargo, hay clientes que prefieren aberturas.

Para proteger lo ojos, encima de la gasa se pueden colocar unas almohadillas de algodón.

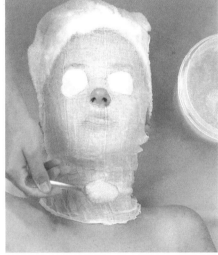

Encima de la gasa se aplican los ingredientes, comenzando por el cuello y terminando por la frente.

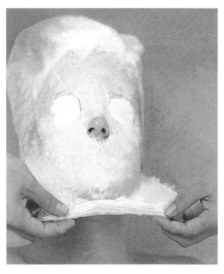

El tiempo que permanece la mascarilla en la cara se determina de acuerdo al tratamiento que requiera la piel del cliente, pero puede permanecer hasta que seca completamente.

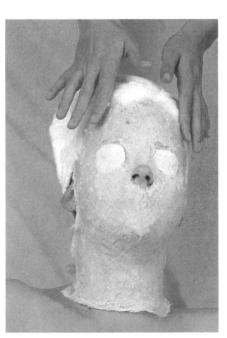

Para quitar la mascarilla la gasa se levanta desde el cuello y se enrolla lentamente, hasta retirarla completamente de la cara. Si la mascarilla está muy seca, se humedece con compresas de algodón y hielo.

MASCARILLAS CON ALGODÓN

Las compresas de algodón son una especie de máscara de algodón húmedo que se usa para mascarillas de tés o infusiones y para humedecer las mascarillas ya secas, a fin de retirarlas de la cara.

Se hacen con dos o tres piezas de algodón de unos 20 cm de ancho por 20 cm de largo, que se remojan en el té de yerbas tibio o ligeramente caliente y se doblan, para exprimirles el exceso de agua.

Luego el algodón se extiende sobre la cara formando la mascarilla, que ya puesta se puede volver a humedecer en repetidas ocasiones.

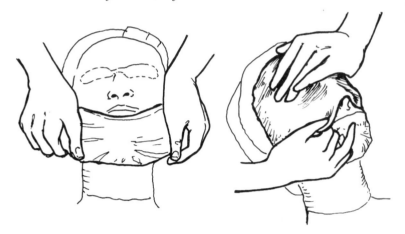

COMPRESAS DE DESINCRUSTACIÓN

Después de un análisis de la piel, se determina la necesidad de aplicar unas compresas de desincrustación si el cliente tiene una piel grasosa o antes de la extracción de puntos negros o barros.

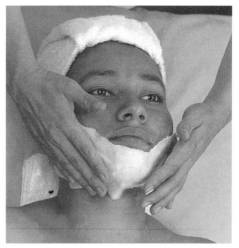
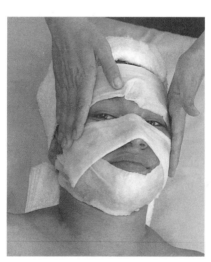

Las compresas de loción desincrustante que aflojan y emulsifican los depósitos de grasa y los puntos negros se aplican en 10 minutos sólo en las zonas de piel grasosa, poros grandes, puntos negros o barros, poniendo al cliente bajo una lampara infrarroja, a una distancia suficiente para que no reseque las compresas. Si no se tiene lámpara infrarroja, simplemente se deja la compresa por 15 minutos.

Si no se dispone de una loción desincrustante comercial, que es lo mejor, se puede preparar una casera con una cucharada de bicarbonato de sodio disuelta en medio litro de agua.

MASCARILLA DE CERA

Con la mascarilla de cera se obtienen resultados que impresionan al cliente, particularmente con los que tienen el cutis deshidratado, seco o envejecido, pues hace que las cremas penetren profundamente en la piel. También se emplea con éxito en los cutis normales y aun en los grasosos, pero no se recomienda para la piel con acné.

La mascarilla de cera se coloca después de poner la crema de tratamiento.

Las ceras se consiguen ya preparadas y se derriten en un recipiente especial, cuya temperatura se controla automáticamente mediante un termostato. También se puede calentar a baño María, utilizando un termómetro de repostería para controlar la temperatura, que debe ser de alrededor de 54 grados centígrados durante todo el tiempo que dure la aplicación.

Para estar seguros de que la cera no está demasiado caliente, antes de aplicarla se prueba sobre la muñeca o en el dorso de la mano.

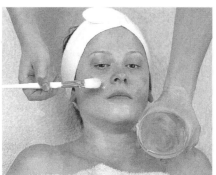

La cera derretida se embarra en la cara del cliente con una brocha de cerdas naturales de unos 2 cm de ancho, comenzando por el cuello y la garganta.

Luego se sigue con la mandíbula, la barbilla y la parte de abajo de la nariz, sin que llegue a los labios, ni entre por la nariz. Enseguida, se unta en las mejillas y alrededor de los ojos, pero sin tocar los párpados. Finalmente, se coloca en la frente sin tocar el cabello ni las cejas.

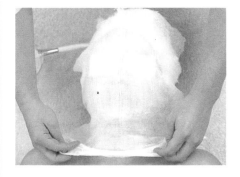

Inmediatamente después se coloca una pieza de gasa o manta de cielo y se sigue poniendo cera hasta que llega cerca de 5 mm de espesor. Sobre los ojos se colocan almohadillas húmedas, en tanto que la mascarilla se deja media hora o más y se retira.

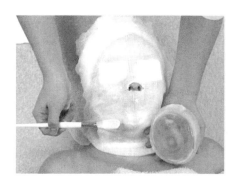

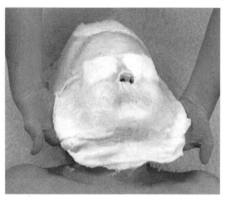

Para quitar la mascarilla, se aflojan las orillas con una espátula de madera, para con las dos manos levantarla en una sola pieza.

Luego, se limpia la cara para refrescarla con una almohadilla de algodón o una esponja con loción astringente.

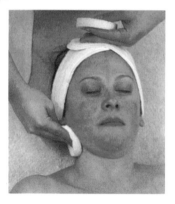

Epidermoabrasión

La epidermoabrasión es un tratamiento llamado también adelgazamiento de la piel o pelado cosmético, que sólo tiene que ver con la capa más superficial de la piel. No se debe confundir con la dermabrasión que se hace en capas más profundas y que solamente debe realizar un médico dermatólogo.

Este es un tratamiento que se hace con unas cremas que contienen enzimas capaces de descomponer y disolver las células muertas que están en la superficie de la piel. En una piel normal todas las células de la epidermis mueren y se renuevan cada 28 días.

Al eliminar las células muertas de la superficie de la piel se mejora su textura; queda más tersa, con los poros más pequeños y menos puntos negros, además de que se vuelve más saludable, porque se estimula el metabolismo y una mayor circulación sanguínea.

La epidermoabrasión no se debe hacer en rostros con acné ni con piel venosa.

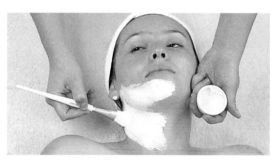

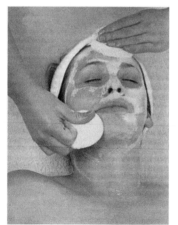

La crema se retira antes de que seque completamente, pues entonces será más difícil de eliminar.

La crema se quita con unas almohadillas de algodón y las hojuelas o pedazos secos, empujándolos de una mano hacia la otra, comenzando por el cuello y la barbilla, para terminar en la frente.

Después de la vaporización, con una espátula de madera o una brocha, se aplica una delgada capa de crema para epidermoabrasión o crema *peeling*, que se deja en el rostro hasta que comience a secar, cosa que tarda de 10 a 15 minutos.

Loción final

Una vez que se han retirado todos los restos de cualquier mascarilla se aplica una loción suavizante o una loción protectora.

TRATAMIENTOS FACIALES

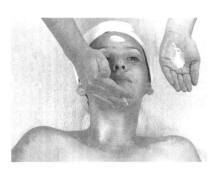

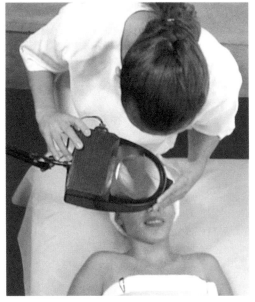

Los tratamientos faciales son servicios para embellecer el rostro, en los que se sigue una rutina con las técnicas explicadas en el capítulo anterior. Estas rutinas y los productos aplicados en ellas varían según los intereses del cliente, la experiencia del esteta y sobre todo según el tipo de piel a la que se aplican, que es el factor más determinante.

TRATAMIENTO FACIAL PARA PIEL NORMAL

La rutina de un tratamiento facial para piel normal se compone de diez pasos, aunque para condiciones especiales de piel, como más adelante se verá, se omite algún paso o se agrega otro.

1 **Preparación** y acomodo del cliente en la silla o cama de tratamientos.

2 **Limpieza del rostro** con una crema o loción limpiadora para piel normal.

3 **Aplicación de una loción refrescante** a base de *hamamelis*, leche de avellanas o alcanfor, por ejemplo.

4 **Análisis de la piel** con la ayuda de la lámpara de aumento.

5 **Vaporización.**

6 **Masaje de limpieza.**

7 **Aplicación de una crema de tratamiento apropiada para piel normal.** Si se dispone de una lámpara de rayos infrarrojos, se coloca al cliente bajo ella de 3 a 5 minutos, cubriendo sus ojos con unas almohadillas de algodón.

8 **Masaje de penetración** para que la crema de tratamiento se absorba bien en la piel. Se puede dejar la lámpara de rayos infrarrojos, si se dispone de ella.

9 **Aplicación de una mascarilla** de 10 minutos a una hora, a base de sustancias suavizantes, calmantes, estimulantes, tonificadoras o limpiadoras, o bien, una mascarilla de cera o para epidermoabrasión.

10 **Aplicación de una loción protectora** en la cara y el cuello.

Tratamiento facial para piel seca, deshidratada, seca de grasa y madura

1 **Preparación del cliente.**

2 **Limpieza** con una *cold cream* apropiada para piel normal o seca.

3 **Aplicación de una loción refrescante.**

4 **Análisis de la piel** con la lámpara de aumento.

5 **Vaporización.**

6 **Masaje de limpieza** aplicando la crema para masajes en toda la cara, excepto los párpados y los labios.

7 **Aplicación de la crema de tratamiento,** que puede ser una crema hormonal o una crema humectante, para luego colocar al cliente de 3 a 5 minutos bajo la lámpara de rayos infrarrojos.

8 **Masaje de penetración.**

9 **Mascarilla humectante** que contenga uno o varios de estos ingredientes: aceite de almendra, aguacate, flor de azahar, pétalos de rosa, manzanilla, cera, vitamina A o vitamina E o bien, una mascarilla de cera o de epidermoabración. Si se pone una mascarilla de cera se puede omitir el masaje de penetración.

10 **Aplicación de una loción protectora y suavizante.**

TRATAMIENTO FACIAL PARA PIEL GRASOSA

1 Preparación del cliente.

2 Limpieza facial con una loción limpiadora para piel grasosa.

3 Aplicación de una loción refrescante.

4 Análisis de la piel,

5 Vaporización,

6 Masaje de limpieza.

7 Aplicación de compresas de desincrustación en lugar de crema de tratamiento, si es posible bajo la lámpara de rayos infrarrojos.

8 Masaje especial para piel grasosa o con acné y posteriormente se procede a extraer los puntos negros, los puntos blancos y los barros, si los hay, de preferencia auxiliándose de la lampara de aumento, que ayudará a hacer más preciso y menos molesto el tratamiento.

9 Mascarilla para piel grasosa, que puede ser una comercial o una preparada con ingredientes calmantes, astringentes, desinfectantes, secantes, limpiadores o curativos.

10 Aplicación de una loción protectora.

TRATAMIENTO PARA UNA PIEL COMBINADA

Cuando partes de la cara tienen condiciones de piel diferentes, por ejemplo la frente y la nariz grasosa y las mejillas secas, se dice que se tiene una piel combinada. Su tratamiento consiste en tratar cada parte diferente de la piel con el proceso que le corresponda, según lo requiera su condición.

TRATAMIENTO FACIAL PARA PIEL CON ACNÉ

1 Preparación del cliente.

2 Limpieza con una loción limpiadora para piel grasosa, empleando solamente almohadillas de algodón. Las esponjas no se deben utilizar en este tipo de piel.

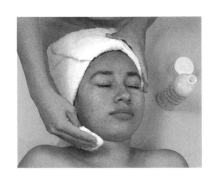

3 Aplicación de una loción refrescante.

4 Estudio de la piel con la lámpara de aumento.

5 Vaporización.

6 Compresas para desincrustación en vez del masaje de limpieza, en aquellas áreas de la cara donde haya puntos negros, poros abiertos, barros o grasa excesiva.

7 Masaje para piel grasosa con sumo cuidado y a continuación extracción de los puntos negros, blancos, barros y espinillas. Al terminar, aplicación de una loción astringente especial para acné.

8 Aplicación de una crema de tratamiento especial para acné. Si es posible, coloque al cliente bajo la lámpara de rayos infrarrojos durante unos 7 minutos.

9 Mascarilla especial para acné o una mascarilla de borraja o bien alguna otra preparada con ingredientes emolientes, curativos, desinfectantes, calmantes o astringentes.

10 Aplicación de una loción protectora especial para acné.

La piel con acné debe tener un cuidado permanente en casa, cosa que requiere de enorme paciencia y perseverancia. Todas las mañanas y todas las noches se debe limpiar la cara con algodones empapados, primero en loción limpiadora y después, en loción astringente, para terminar con una loción protectora especial para acné.

Dos veces por semana, después de haber limpiado la cara con loción limpiadora y loción astringente, se deben aplicar compresas de una loción desincrustante, ya sea comercial o casera. Al terminar, se hace un masaje para piel grasosa.

Eliminación del vello indeseable

El vello excesivo en la cara, piernas y brazos, es un problema para algunas mujeres. Su eliminación, aunque no es parte de los tratamientos faciales, se puede considerar como un complemento de éstos, por lo que a continuación enumeramos los diferentes tipos de depilación que existen.

Eliminación permanente

El vello se puede eliminar de manera permanente por la destrucción de la papila o fuente nutritiva del cabello, a base de una corriente eléctrica o de una descarga de onda corta, aplicada a cada folículo de cabello, con una aguja que se introduce en él.

Eliminación temporal

Existen varios caminos para suprimir el vello temporalmente, como son: rasurarlo; sacarlo con pinzas de uno en uno, o aplicar depilatorios ya sea químicos, que los disuelven, o físicos, como la cera, que los extraen. El vello también se puede disimular aplicándole un aclarador para cabello.

Depiladores químicos

Los depiladores químicos son cremas o pastas empleadas, generalmente, para quitar el vello de las piernas, a las que se aplica en una capa gruesa por 5 a 10 minutos, según las instrucciones del fabricante. Los bordes con la piel donde no se aplica el depilador químico se protegen con vaselina.

Después, el depilador junto con el vello, se retiran con agua caliente y la piel, ya depilada, se seca y protege con una crema o loción calmante.

Depilación con cera suave

Los efectos de la depilación con cera son más prolongados, ya que el vello no se corta al ras, como en la depilación química o la rasurada, sino que se arranca de raíz, por lo que tarda más tiempo en volver a crecer, además de que crece sin engrosar.

Normalmente la cera debe calentarse en un recipiente especial que tiene un termostato para mantenerla a la temperatura adecuada, aunque a falta de él se puede calentar a baño María.

Para aquellas personas que no soportan la cera caliente hay una cera especial que se aplica en frío, a la temperatura ambiente.

DEPILACIÓN DEL LABIO SUPERIOR

El vello del labio superior suele crecer en diversas direcciones, por lo que es necesario aplicar cera y muselina en cada sección, en la misma dirección del vello.

Después de retirar la muselina se da un ligero masaje y se aplica una loción antiséptica o emoliente.

DEPILACIÓN EN OTRAS PARTES DEL CUERPO

De manera similar se puede quitar el vello de las mejillas, la barbilla, la nuca, la frente, los brazos o la ingle. En la frente se suele depilar el vello del entrecejo y aquellas cejas que han salido fuera de la línea principal por encima de la ceja. Abajo de la ceja está el párpado, *al que no se debe aplicar cera ni ningún otro depilador.*

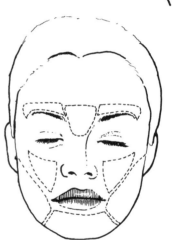

DEPILACIÓN DE LAS AXILAS

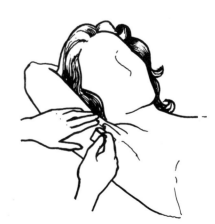

Cuando se depila el vello de las axilas se deben usar piezas de muselina más pequeñas. Al retirarlas, con una mano se mantiene tensa la piel, mientras con la otra se jala en dirección contraria al nacimiento del vello.

DEPILACIÓN DE LAS PIERNAS

Proteja al cliente con una bata para que no le caiga cera a su ropa, pues es muy difícil quitarla. Asegúrese de que no vaya a saltar los ojos y no la aplique en verrugas, raspones o piel irritada.

Antes de aplicar la cera caliente se debe probar que no queme, colocando unas gotas en el interior de la muñeca o en el dorso de la mano.

La cera se aplica en pequeñas áreas con una espátula de madera, en un ángulo de 45 grados, siempre en el sentido del crecimiento del vello, dejando que la cera fluya libremente.

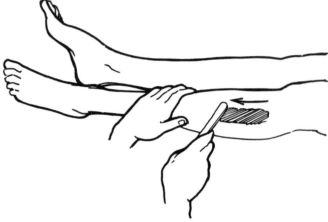

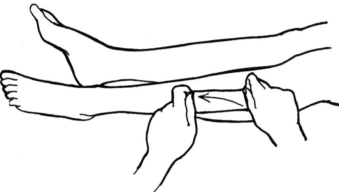

Luego, directamente sobre la cera se coloca un pequeño rectángulo de muselina, que se presiona y alisa con la mano, siempre en dirección del crecimiento del vello, para que éste se adhiera a la tela.

Debe haber una correspondencia entre el tamaño del área cubierta con la cera y el tamaño de la muselina, que debe ser unos 2 cm más larga, para poder tomarla firmemente con los dedos y quitarla.

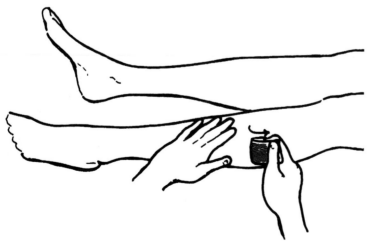

La muselina se retira jalándola fuertemente en dirección contraria al sentido del crecimiento del vello, con la mano tan cerca como sea posible de la piel, para que el folículo se abra y salga más fácilmente el bulbo o raíz del vello.

La misma muselina se puede usar dos o tres veces más, antes de tener que usar una nueva.

Ya que se eliminó el vello de la zona deseada, se aplica una loción antiséptica.

Cuando el vello se ha venido rasurando o depilando con productos químicos, antes de depilarlo con cera será necesario dejar que crezca un poco durante unas semanas, para que la cera se le pueda unir bien.

Manicure

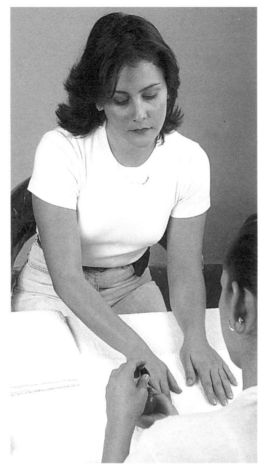

M*anicure* proviene de dos palabras del latín: *manus* o manos y *cura*, cuidado. La uñas cuidadas, pulidas y barnizadas que se usan regularmente, antes fueron un signo de distinción exclusivo de la aristocracia, pero ahora son una necesidad semanal o quincenal de la vida moderna, particularmente entre las mujeres, ya sea que estudien o trabajen en una oficina, una fábrica, un comercio o en casa.

EQUIPO, HERRAMIENTAS Y MATERIALES

El equipo necesario para hacer manicure es:

Cojín de 20 x 30 cm donde el cliente apoya su brazo o también puede ser útil una toalla doblada.

Lámpara

Frasco con algodón limpio

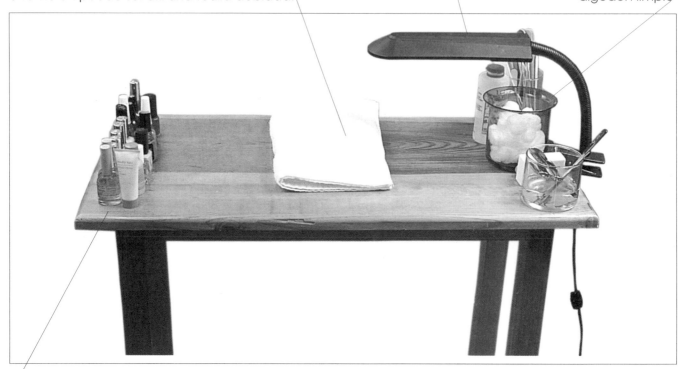

Charola o espacio en la mesa para cosméticos y barnices, como:

> Removedores de barniz
> Removedores de cutícula
> Aceite para suavizar la cutícula
> Cremas para cutícula seca y uñas quebradizas
> Limpiadores o detergentes de uñas
> Decolorantes para las uñas
> Blanqueadores de uñas
> Base para el barniz
> Barniz de uñas seco, para pulirlas
> Barniz de uñas líquido
> Sellador para el barniz
> Endurecedor de uñas
> Loción o crema para las manos

- Mesa pequeña con sus dos sillas, una para el cliente y otra para la manicurista
- Tazón para agua jabonosa caliente
- Pañuelos desechables y
- Toallas para manos

Alcohol

Frasco con alcohol para colocar herramientas como:

> Limas de uñas metálicas
> Empujador de cutícula metálico
> Alicates o tijeras para cutícula
> Alicates o tijeras para uñas
> Pinzas metalicas para levantar pellejos

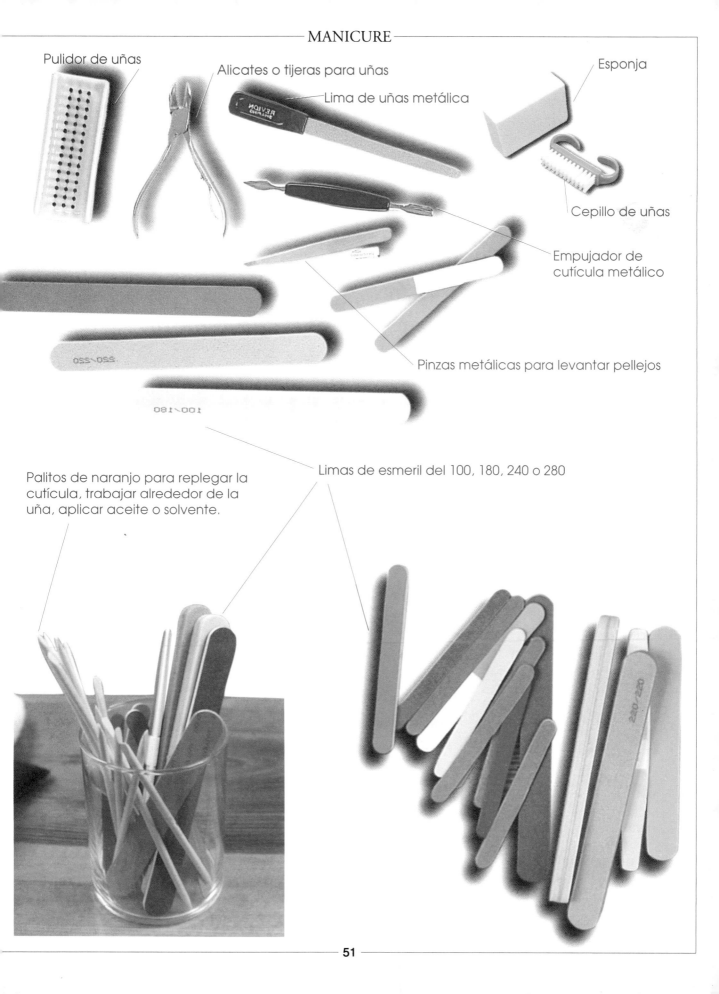

Pulidor de uñas

Alicates o tijeras para uñas

Lima de uñas metálica

Esponja

Cepillo de uñas

Empujador de cutícula metálico

Pinzas metálicas para levantar pellejos

Limas de esmeril del 100, 180, 240 o 280

Palitos de naranjo para replegar la cutícula, trabajar alrededor de la uña, aplicar aceite o solvente.

MANICURE SIMPLE

Acomode todas las herramientas y materiales en la mesa de manicure, que debe estar perfectamente limpia y desinfectada antes de sentar al cliente. Coloque una toalla limpia para el brazo del cliente y agua caliente jabonosa en un tazón limpio.

El manicure tiene seis pasos, que son:

1 **Eliminación del barniz viejo**

2 **Limado para dar forma**

3 **Arreglo de las cutículas**

4 **Masaje**

5 **Limpieza de las uñas**

6 **Barnizado**

REMOCIÓN DEL BARNIZ VIEJO

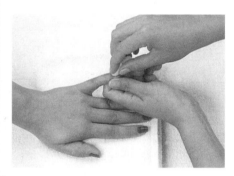

Amablemente pida al cliente que lave sus manos y se siente, para empezar por quitarle el barniz anterior en las 10 uñas, comenzando con el meñique de la mano izquierda. Para ello, ponga sobre cada uña, unos segundos, un algodón remojado en removedor de barniz de uñas, para suavizarlo.

Luego, sin manchar la cutícula o la piel alrededor de la uña, lleve el algodón desde la base hasta la punta de la uña.

Con otro algodón retire los rastros que hayan quedado de la primera pasada.

LIMADO Y FORMA

Enseguida lime el borde de cada uña y déle forma, comenzando por el meñique de la mano izquierda para terminar con el pulgar.

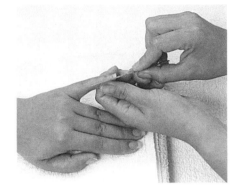

Sostenga el dedo cuya uña va a limar, y con la lima ligeramente inclinada hacia abajo, lime principalmente la parte inferior del borde de la uña, para darle forma.

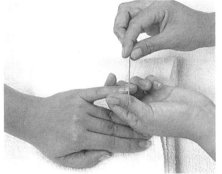

Se lima con movimientos cortos y rápidos, comenzando cerca de la base, para avanzar hacia el centro, en un lado de derecha a izquierda y en otro de izquierda a derecha, para limar siempre en la misma dirección en que crecen las uñas y evitar que se abran.

Cada uña se lima con tres limas de diferente esmeril. Se desvasta con esmeril grueso, como el 100; se afina con una de esmeril más fino, como del 180 y, por último; se pule con la lima fina, del 240 o 280.

Se termina con un movimiento a todo lo largo de la uña.

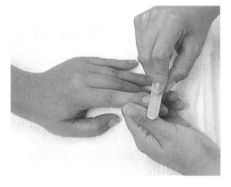

Las formas más populares para limar las uñas son:

 **Cuadrada;** es decir, plana en la punta y recta a los lados.

Cuadrada, con las esquinas redondeadas y los lados rectos.

Cuadrada oval con los lados rectos, las esquinas redondeadas y con la punta ligeramente oval.

Oval, con los lados ligeramente redondeados desde la base, con la punta circular en forma de huevo, que es la más popular.

Puntiaguda, sólo para las manos muy finas y delicadas, en que los lados se liman ahusados desde su base hasta la punta, y en su extremo es ligeramente redondeada.

Una vez que termine de limar y dar forma a todas las uñas de la mano izquierda, comience con las de la derecha, Mientras, ponga los dedos de la mano izquierda a remojar en agua jabonosa.

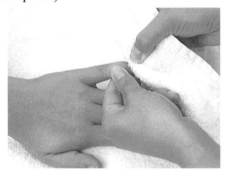

ARREGLO DE LA CUTÍCULA

Al terminar, saque la mano izquierda del agua jabonosa y ponga la derecha a remojar.

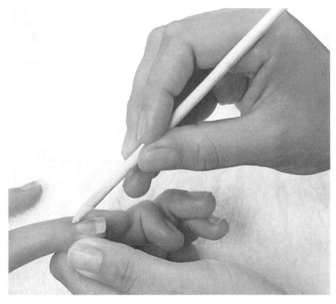

Seque la mano izquierda, y con la misma la toalla empuje hacia atrás la cutícula y la piel de los lados, para que dejen de estar adheridas a la uña.

Enseguida, con un algodón enredado en un palito de naranjo, ponga solvente o removedor de cutícula en las cutículas de la mano izquierda.

Con el extremo de cuchara del empujador metálico, separe la cutícula suavemente y empújela hacia atrás, cuidando que siempre esté húmeda en solvente. Si quedan adherencias de cutícula muerta sobre la uña, elimínelas, colocando el empujador casi plano, pero sin raspar la uña.

Si hay cutícula muerta o si se encuentra despareja o con "padrastros", se debe recortar en una sola pieza con los alicates para cutícula. Sea extremadamente cuidadoso para no cortar la piel. Si la cutícula se corta más de lo necesario se verá mal y la piel quedará muy sensible o viva, por lo que podrá doler o molestar.

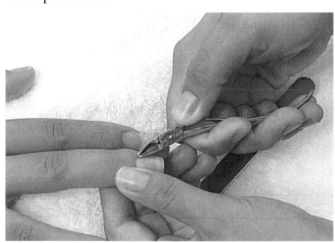

Si no hay defectos en la cutícula no la recorte, basta con hacerla hacia atrás.

Para terminar el arreglo de las cutículas aplique aceite o crema para cutícula, tanto alrededor de su base como a los lados de la uña. Luego, dé un masaje en la mano.

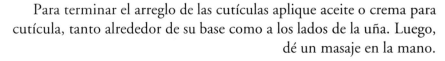

Masaje

El masaje es algo que no se debe omitir, sino ser parte de cada manicure, pues ayuda a mantener las uñas, los dedos y las manos flexibles, bien arregladas y suaves.

Primero, para flexibilizar mueva la muñeca lentamente hacia atrás y luego hacia adelante.

Enseguida, flexibilice cada dedo, uno por uno, doblándo primero todo y luego cada falange, hasta llegar a la punta.

Enseguida, dé masaje a la palma y al dorso de la mano, primero en una dirección y luego en otra.

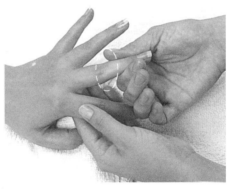

Luego se toma un dedo a la vez y se gira en circulos grandes, para terminar en un ligero jalón, cosa que se repite tres veces.

Ahora, dé masaje a las muñecas con movimientos circulares, para terminar torciéndolas en direcciones opuestas.

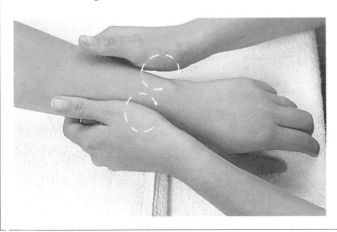

Se finaliza con masaje rotatorio a cada dedo con una presión ligera de su pulgar y su índice. Se comienza en la base y se termina en la punta, dando un ligero jalón.

LIMPIEZA DE LAS UÑAS

La placa y la parte de abajo de la uña se limpian con agua y jabón para quitar los restos de aceites y removedores. Esto se puede hacer usando un palito de naranja con un algodón en la punta, haciendo presión ligera desde el centro hacia los lados, pero sin lastimar la raíz.

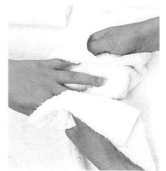

Revise cudadosamente cada uña y quite cualquier borde o pellejo que haya quedado. Finalmente, sobre el tazón cepille las uñas con movimientos de arriba hacia abajo.

Seque con la toalla.

BARNIZ

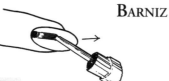

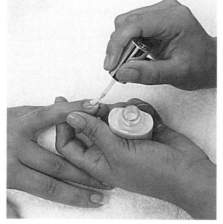

Con pinceladas largas aplique base de barniz en cada uña, comenzando con el meñique y terminando en el pulgar.

Ya que la base secó, aplique barniz con pinceladas largas y rápidas. La uña suele ir pintada completa o con una media luna en la base.

Si el barniz pasó a la piel o a la cutícula, se limpia con un palito de naranjo, con punta de algodón húmeda en removedor de barniz.

Enseguida, aplique sellador de barniz en la placa de la uña y bajo ella, para mayor protección.

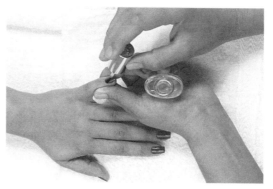

Finalmente, aplique una loción para manos.

REPARACIÓN DE LAS UÑAS

Las uñas rotas, abiertas o frágiles se reparan con un parche de seda, lino o fibra acrílica. Hay unos parches que ya vienen con un adhesivo propio en su respaldo, de modo que solamente se pegan a la uña, mientras que otros se deben adherir con pegamento o resina. Algunos ya vienen al tamaño aproximado de la uña, y otros se recortan de una pieza más grande.

Los parches más durables son de lino, pero también son los más burdos, de modo que hay que pintar toda la uña para que no se noten. Los más populares son los de seda.

A fin de que se adhiera el parche, la parte donde se va a colocar se lima con un esmeril fino.

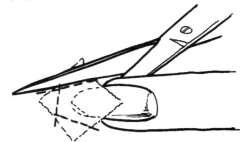

Luego, se corta un trozo de parche al que se deshilachan un poco sus bordes, para que no queden enteramente rectos. Si hay bordes del parche que sobresalgan de la uña, córtelos. Luego se satura el parche con pegamento y se coloca sobre la parte de la uña a reparar o reforzar.

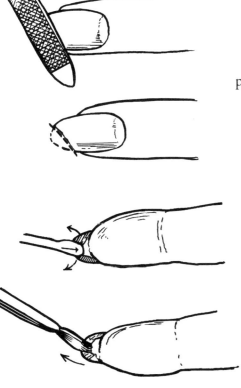

Si lo cree conveniente, doble un poco el borde del parche por abajo de la uña para reforzarla aún más. Luego, con el palito de naranjo sumergido en removedor de esmalte alise la superficie del parche en todas direcciones.

Si la rotura es grande o profunda conviene poner encima otro parche como refuerzo, cambiando ligeramente el ángulo de su tejido.

Si queda alguna irregularidad en la superficie de la uña, lime ligeramente con esmeril fino arriba y a los lados, para que quede tersa. Enseguida, aplique base para barniz, barniz y protector.

Otra manera de reparar uñas es aplicando un pegamento que viene con un refuerzo de fibra o con acrílico. Con la uña hacia abajo coloque una pequeña gota y deje que escurra, mientras la distribuye a los lados con la punta del tubo aplicador. Si el pegamento viene con una brocha, entonces se aplica con ella. La aplicación del pegamento se repite tres veces, dejándolo secar entre cada una.

UÑAS ARTIFICIALES

Las uñas artificiales son, en general, puntas de uñas, es decir, la parte que sobresale del dedo y una pequeña base donde descansan. Hay dos clases principales: unas que se esculpen con acrílico y otras de plástico que simplemente se pegan.

UÑAS DE ACRÍLICO

Las uñas de acrílico se esculpen como una prolongación de la uña natural, colocando un soporte que sirve de molde al acrílico líquido, que se coloca en capas sucesivas hasta tener el espesor de una uña normal.

Antes de esculpir, las uñas se limpian, pulen, se arreglan las cutículas y se lavan con cepillo para eliminar todo rastro de aceite o solvente. Enseguida, sin tocarlas con sus dedos se liman con esmeril fino para que quede una superficie ligeramente áspera.

Para quitar el polvo de uña que deje la lima se pasa un pincel fino o un hisopo de algodón.

Enseguida, con un pincel se aplica un *primer* o primario especial para uñas de acrílico, siguiendo las instrucciones del fabricante.

Ahora se toma un soporte de uña y se le quita el respaldo. Luego, se dobla o arquea hasta que tenga la forma que requiere la uña y sus brazos se pegan, apretándolos contra los lados del dedo. Asegúrese de que el soporte quede justo en el borde de la uña.

El acrílico es una resina que se tiene que preparar en el momento que se va a usar, mezclando dos componentes, uno líquido y otro en polvo. El pincel se mete primero en el líquido, luego se saca y se mete en el polvo, girándolo ligeramente para que se forme una pequeña bola de acrílico.

La bola o gota de acrílico se coloca en la punta de la uña, justamente donde la uña y el molde se unen y se extiende sobre él, para formar una nueva uña de acrílico.

Ahora, se prepara más acrílico, que se coloca en el centro de la uña y se extiende por toda su mitad inferior, sin que llegue a la piel o a las cutículas.

Enseguida, se prepara acrílico un poco más húmedo, que se extiende por toda la uña, desde su base hasta la punta, pero sin tocar la cutícula.

Una vez que el acrílico seca, se quitan los moldes para limar la uña nueva, pulirla y dejarla tersa. Finalmente, se lava, se seca y se barniza.

Las uñas de acrílico se quitan remojándolas en un solvente de acrílico hasta que se suavizan, para retirarla con la presión de un palito de naranjo.

UÑAS DE PLÁSTICO

Las uñas de plástico permiten alargar mucho las uñas, ya sea para el diario o para ocasiones muy especiales. Las hay de diversas formas y largos. Unas se sobreponen completas a toda la uña, otras más se pegan desde la mitad de la uña hacia la punta y finalmente, las hay que se unen a tope con el borde de la uña natural.

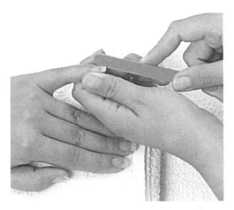

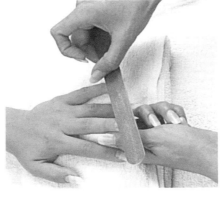

Para colocarlas se comienza por limar y pulir la uña, arreglar las cutículas y lavar los dedos para eliminar cualquier residuo de aceites o solventes.

Con esmeril fino se lima la superficie de la uña para dejarla ligeramente áspera a fin de que se pegue al adhesivo.

Se escoje el tamaño apropiado de uña para cada dedo y si es necesario, se recorta y se lima, a fin de que se adapte mejor a la forma de la uña natural.

Luego, se aplica pegamento sólo en los bordes de la uña natural y en la parte interior de la artificial, pero sin engomar la punta.

Se deja que el pegamento seque un poco y, enseguida, se coloca la artificial sobre la uña natural, presionando ligeramente. Allí se sostiene por un minuto, al cabo del cual se limpia el pegamento que pudiera haber salido por los bordes, se deja secar y se barniza.

Para quitar las uñas postizas se coloca un poco de removedor de barniz y con la punta de un palito de naranjo se levanta la uña de un lado.

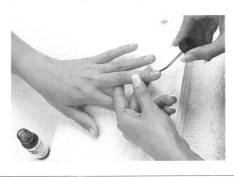

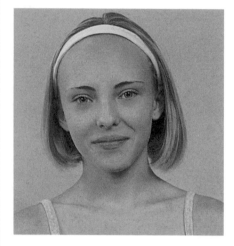

Maquillaje

El maquillaje es la culminación de los procesos para el embellecimiento del rostro, que empiezan con tratamientos faciales y terminan con los cosméticos, en el arte de colorear las caras. En este capítulo trataremos de las herramientas y los materiales que se utilizan, la forma en que se aplican, así como de su función para hermosear y corregir el rostro.

Equipo

Para aplicar el maquillaje se requiere de poco más de una decena de herramientas, de preferencia de la mejor calidad, entre las que destacan:

Un espejo bien iluminado

Lámpara de aumento

Tenazas para depilar

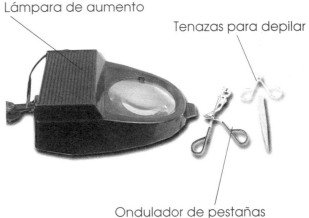

Ondulador de pestañas

Almohadillas de algodón para limpieza de la cara

Afilador, para el lápiz delineador

Hisopos de algodón para quitar maquillaje

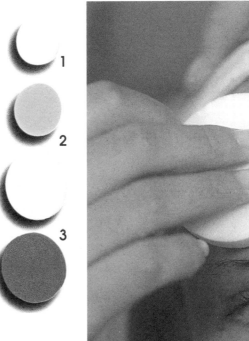

Esponjas

1 Esponja pequeña y suave para maquillaje líquido
2 Esponja suave para aplicar maquillaje compacto sin agua
3 Esponja dura para aplicar maquillaje compacto con agua
Esponja natural para aplicar maquillaje compacto con agua y dejar un acabado ligero

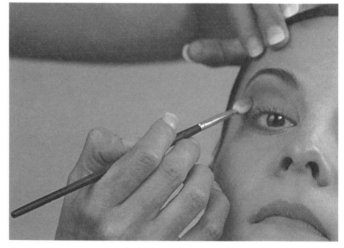

Brocha para rubor
1 Grande y suave para desvanecimiento
2 Pequeña para un desvanecimiento más controlado

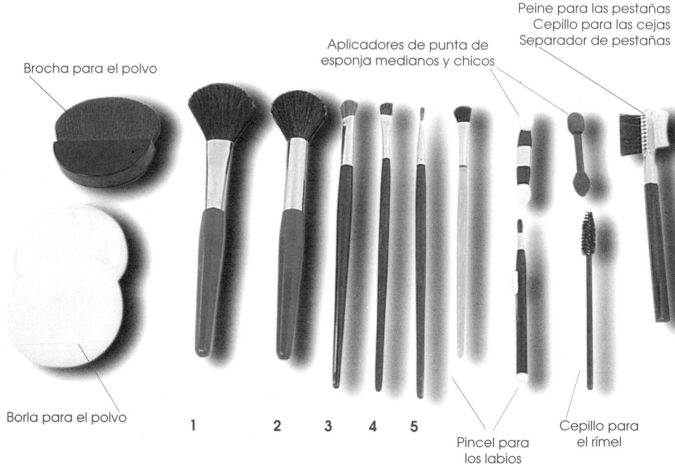

Peine para las pestañas
Cepillo para las cejas
Separador de pestañas

Aplicadores de punta de
esponja medianos y chicos

Brocha para el polvo

Borla para el polvo

1   2   3   4   5

Pincel para
los labios

Cepillo para
el rímel

Pincel para la sombra de ojos
3 Grande para aplicar la sombra de ojos en todo el ojo y para desvanecer
4 Mediano para el párpado
5 Pequeño para la cuenca del ojo y para dar luces

Estuche para guardar el
equipo y los cosméticos

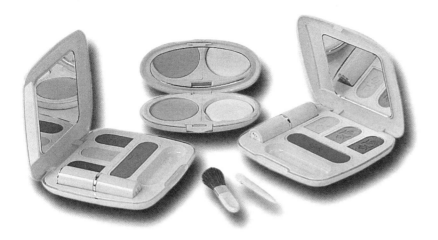

COSMÉTICOS

Los cosméticos se pueden agrupar en: bases, correctores, polvos para la cara, rubores, sombras para los ojos, delineadores, rímeles y pinturas para los labios.

BASES

Las bases hacen que la cara se vea tersa, clara, con un tono uniforme, que sirve como base al resto de los cosméticos. Se producen en una gran variedad de tonos porque es muy importante escoger el apropiado para la tez de cada persona en particular.

Las bases pueden ser líquidas, conocidas también como maquillaje líquido, en crema, llamadas también maquillaje en crema, y sólidas o compactas, conocidas como maquillaje compacto o *pancake*.

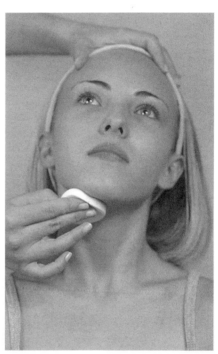

Las bases líquidas o maquillajes líquidos, generalmente están hechos con una base de agua, por lo que se distribuyen muy bien sobre la piel usando una esponja, ya sea seca o húmeda. Los hay sin aceite, para las caras grasosas y, con humectante para las pieles secas. Otros más, protegen de los rayos ultravioleta y algunos más, para pieles delicadas, contienen productos medicinales.

Las bases cremosas o maquillajes en crema están hechos con una base de crema, a la que se mezcla polvo facial para combinar, en una misma aplicación, las propiedades del maquillaje y la crema. Hay una base en crema especial para los párpados y el área de los ojos.

La base compacta o maquillaje compacto es una pasta seca, hecha con polvo, goma y algo de aceite, apropiada para cualquier tipo de piel, que se puede aplicar con una esponja, ya sea seca o húmeda, de manera más rápida que las otras bases.

POLVOS FACIALES

Los polvos para la cara, con los que también están hechas las bases, son productos muy refinados, hechos con un talco extremadamente fino, al que se agrega un colorante, un perfume y otras sustancias para que se adhiera a la piel, se deslice por ella, se extienda y absorba el sudor y la grasa de la cara.

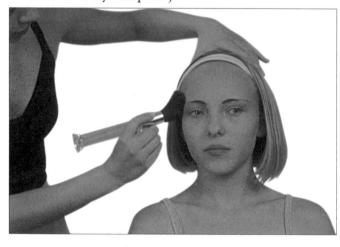

Los polvos, aunque se aplican en cantidades muy pequeñas, dan el toque final al maquillaje y ayudan a mantenerlo fresco y terso.

CORRECTORES

Los correctores que se aplican en algunas partes de la piel, antes de la base de maquillaje, sirven para corregir el color o algunos defectos específicos, utilizando la teoría de los colores complementarios. Así, un corrector azul hará que una piel rojiza se vea más clara y brillante; el blanco dará brillo a las pieles opacas y ayudará a ocultar las ojeras oscuras; el verde también disminuirá lo rojizo; en tanto que el morado corregirá lo amarillento y hará ver la piel más sana.

RUBORES

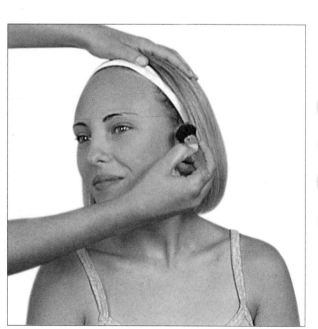

Los rubores son colores más vivos que la base de maquillaje, y se aplican en las mejillas para darle al rostro vida y apariencia saludable. Hechos con polvos en extremo finos, se aplican después de la base, pero antes que el polvo.

COSMÉTICOS PARA LOS OJOS

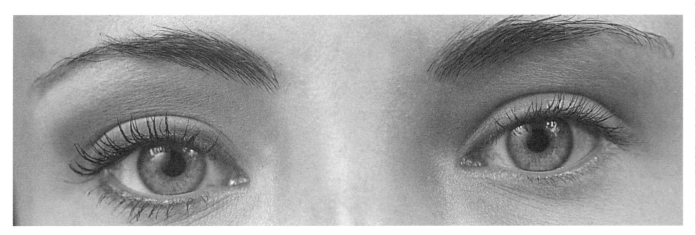

La selección de los colores está influida por el tono de la piel, el color de los ojos, su forma y el color de la ropa que se use.

Las sombras de ojos son los cosméticos de colores más vivos y variados. Sirven para hermosear los ojos y hacer que parezcan más grandes o más pequeños, más prominentes o más hundidos. Se pueden usar en un solo color o en una combinación de varios.

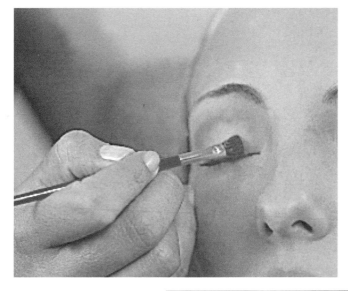

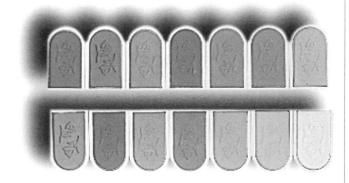

El delineador de ojos, ya sea en líquido o en lápiz, se aplica en el borde de los párpados para definir, destacar y embellecer los ojos, acentuando su forma.

El rímel es una pintura oscura que ennegrece, engruesa y alarga las pestañas, sin que se peguen unas con otras.

El lápiz de cejas ayuda a definir las cejas.

COSMÉTICOS PARA LOS LABIOS

Los colores para los labios tienen una doble función: humedecer y proteger los labios, a la vez que darles vida, destacarlos y algunas veces, corregirlos. Suelen presentarse en barra, en lápiz para aplicaciones más precisas, y en pasta, para aplicarse con pincel, aunque el color de las barras también se puede colocar con el pincel.

En general, la elección del color depende del carácter del atuendo general, el color de la ropa y el color del rubor.

Los colores para los labios se producen generalmente en variaciones de rojos vibrantes, cálidos, vivaces, aunque también los hay naranjas, rosas, lavandas, caobas, violetas, grises y negros.

El lápiz y los colores en pasta para labios se usan, generalmente, para dar sombras o lograr algunos efectos, después de aplicar, con la barra, el color general de la boca.

MAQUILLADO

Con la práctica profesional del maquillaje se logra un acabado terso, bello, natural y durable, que se hace en tres pasos sucesivos: maquillaje general de la cara, maquillaje de los ojos y maquillaje de la boca.

MAQUILLAJE GENERAL DE LA CARA

El maquillaje general consiste básicamente en:

Base de color
Corrector, si es necesario
Rubor en las mejillas
Sombras y acentos luminosos para modelar la cara.

BASE DE COLOR

El maquillaje comienza por poner una base que cubre toda la cara, para darle color y textura uniforme.

Para que el maquillaje se vea natural, el tono de la base debe elegirse lo más parecido al color de la piel natural. Ponga un poco de él sobre una parte pequeña de la quijada, no en el cuello ni en las mejillas, donde el color es diferente al resto de la cara. Después de unos minutos, observe cuidadosamente, a la luz del día, si en los bordes con la piel natural se nota el cambio de color. El color correcto se debe confundir, pasar inadvertido, sobre su piel.

Toma un poco de tiempo saber la cantidad de base que se necesita. Si se pone mucha, la cara se verá menos natural; si se exagera, quedará como estuche de maquillaje; de modo que, a menos que tenga usted muchas cosas que ocultar, aplique una base ligera.

Si la piel es normal o grasosa se utiliza una base compacta, que deja un acabado mate, sin brillos, y se aplica con una esponja húmeda, aunque hay algunas que se pueden poner en seco.

Si ha de aplicarse con agua, humedezca la esponja y escurra el exceso. Cuanto más agua contenga, más ligera quedará; cuanto más seca, más pesada.

Deslice la esponja suavemente siguiendo los contornos naturales de la cara, para cubrir la frente, las mejillas y la zona de la nariz, sin maquillar los párpados. Luego, cubra el mentón, abajo de las quijadas y el cuello, dando un efecto natural, uniforme, sin líneas de demarcación. Si puso mucho maquillaje pase la esponja de nuevo, pero sin volverla a cargar, de modo que recoja maquillaje, en lugar de ponerlo.

No aplique mucho maquillaje en las cercanías del pelo para que se pueda desvanecer bien, de modo que no se note. Finalmente, revise que toda la cara tenga un color uniforme, parejo, con una apariencia natural, sin manchas.

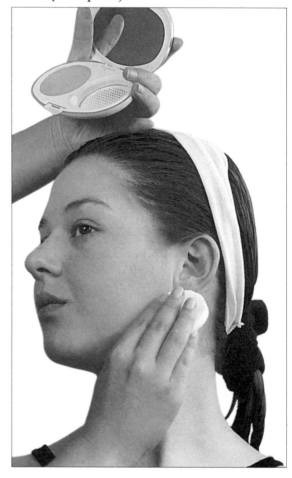

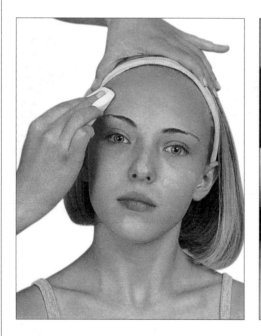

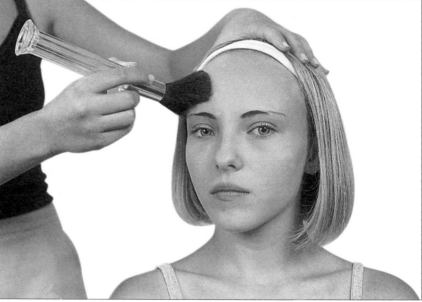

La base de maquillaje líquido es más apropiada para una piel seca y puede producir, en cualquier piel, un terminado más ligero que la base compacta. Con el maquillaje lìquido la esponja no se debe cargar demasiado, porque entonces queda un maquillaje veteado, poco natural, difícil de corregir. Ponga un poco en la esponja húmeda y cubra el rostro. Al final, para dar un terminado mate, aplique polvo translúcido con la brocha.

CORRECTOR

Si hay manchas o defectos que se vean a través de la base, entonces use corrector.

Hay maquillistas que aplican los correctores después de la base; otros prefieren aplicarlos antes. Son productos opacos, con gran poder para ocultar partes del cutis que tengan colores indeseables, marcas o cicatrices. Algunos tienen un tono parecido a la base, pero otros operan usando la teoría de los colores opuestos. Así, se usa verde para atenuar cutis ruborosos, morado para dar una apariencia saludable a la tez amarillenta, y blanco para disimular las ojeras.

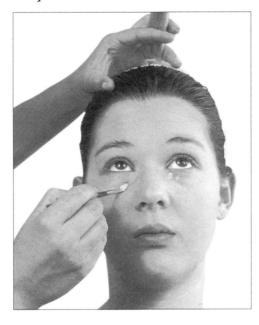

El corrector se puede poner en toda la cara, igual que una base, para cambiar el colorido general del cutis o en partes específicas, como las ojeras, encima de los barros, en la parte rojiza de las aletas de la nariz o sobre alguna cicatriz.

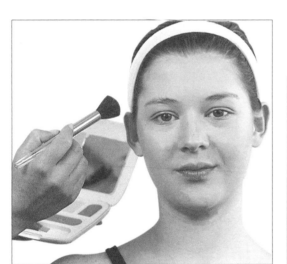

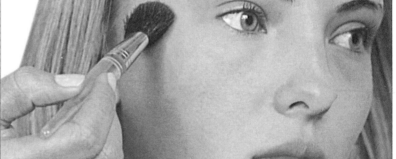

Encima del corrector se aplica la base para tener un terminado parejo.

RUBOR

El rubor aplicado después de la base da a la cara más vida, la alegra, le quita palidez y la hace lucir sana, saludable. Si se tiene una tez clara, el rubor su puede llevar solo, sin la base, con los mismos resultados, pues resalta la coloración natural de las mejillas.

A diferencia de la base, donde no hay mucho espacio de maniobra, con los rubores se puede jugar con mucho más colores que armonicen, no sólo con la piel, sino también con el pelo, los ojos y sobre todo, con el color y el estilo de la ropa.

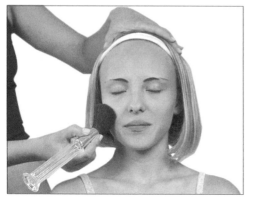

El rubor es uno de los cosméticos más difíciles de aplicar, pues se debe mezclar y desvanecer perfectamente con la base, sin que queden bordes burdos. Por ello se aplica con una brocha grande de pelos suaves.

Se toma un poco de rubor con la brocha y se sacude suavemente contra un borde; luego se aplica en el pómulo, de abajo hacia arriba, en forma de lágrima, con su parte más ancha hacia la nariz y la más delgada apuntando a la parte alta de las orejas. A continuación se desvanece sobre la base de color.

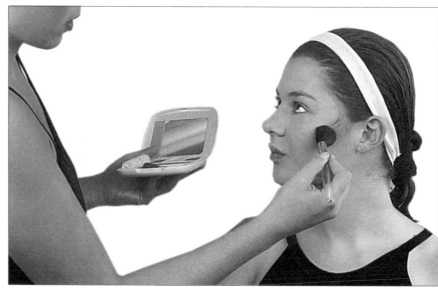

Si considera que ha puesto demasiado rubor, pase de nuevo la brocha, ahora con un poco de polvo translúcido, para bajar el tono.

SOMBRAS Y ACENTOS LUMINOSOS

Unos acentos luminosos y unas sombras ayudan a destacar algunos rasgos y a minimizar otros. Los acentos se hacen con una base más clara que la de fondo, y las sombras con una más oscura. Las sombras alejan, reducen, ocultan. Los acentos luminosos resaltan, hacen más prominentes los rasgos.

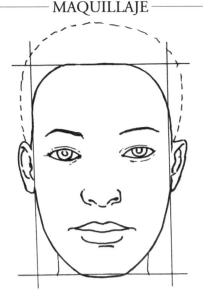

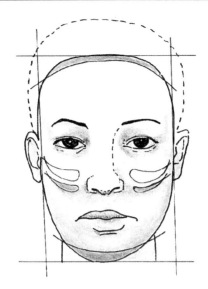

Cara larga

En una cara larga los acentos y las sombras ayudan a lograr una apariencia menos dilatada, si se aplica una sombra alrededor de la parte de arriba de la frente y alrededor del mentón o barbilla, para dar la impresión de que se reduce la longitud de la cara.

Luego, se aplica una luz arriba de los pómulos y una sombra abajo de ellos, para dividir un poco la cara.

Cara cuadrada

Para suavizar una cara cuadrada se sombrean ambos lados de la mandíbula y ambos lados de la frente, de manera casi triangular para reducir su amplitud.

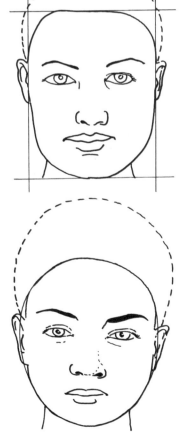

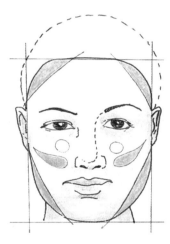

También se pone un acento luminoso arriba del pómulo y un poco de rubor a lo largo de las mejillas.

Cara redonda

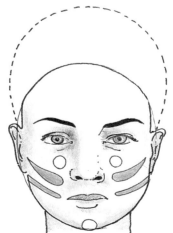

Para reducir la apariencia de redondez, la cara se hace un poco más angulosa con una sombra en la parte baja de los cachetes, y acentos luminosos arriba de los pómulos y en la punta del mentón, para resaltarlos. Al final, se agrega rubor en los pómulos.

POLVO

El polvo no sólo ayuda a quitar el brillo de la cara y su apariencia grasosa, sino que también contribuye a mezclar, disolver los colores y prolongar la vida del maquillaje que cubre.

A menos de que su piel sea muy oscura, conviene aplicar un polvo translúcido, que no tiene color, de modo que no afecta ni a la base ni al rubor, ni a las sombras y luces. Use el menos polvo posible, y cuando lo aplique sacuda la brocha antes. Si prefiere un polvo de color, conviene que sea un poco más claro que la base.

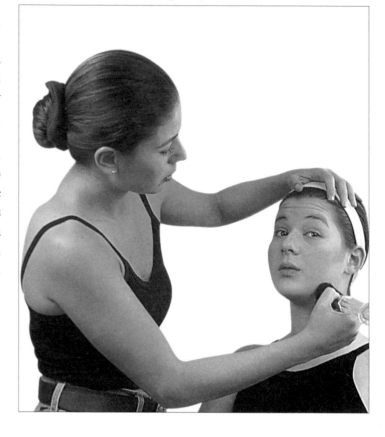

MAQUILLAJE DE LOS OJOS

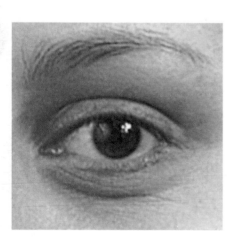
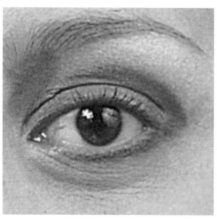

Si bien un cierto sentido artístico ayuda al aplicar rubor, sombras y luces, cuando verdaderamente se requiere es al maquillar el ojo. Allí las cosas se complican porque son muchos cosméticos los que se usan: sombras de ojos, delineador, rímel, lápiz de cejas y a veces, pestañas postizas. No sólo eso, sino que las sombras muchas veces son varias: un color principal arriba de la base, una sombra más oscura para enfatizar y una luz más clara para destacar, además de que allí la gama de colores se abre como el arco iris.

Sin embargo, si todos estos productos se aplican con un cierto orden y si tiene un criterio claro de lo que conviene a cada forma de ojo, todo se facilita.

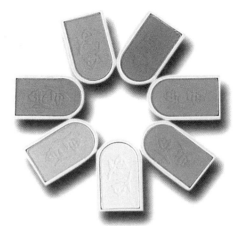

APLICACIÓN DE LAS SOMBRAS

Con los colores de las sombras de ojos se puede experimentar mucho, pero es mejor comenzar con los neutros: almendra, vainilla, terracota, café, o bien, usar los dos o tres colores ya combinados que vienen en los estuches de sombra de ojos.

El proceso general consiste en los siguientes cuatro pasos:

Aplicación de una base de color en todo el párpado **1**

Aplicación de una sombra más oscura en el pliegue del ojo **2**

Aplicación de un color todavía más oscuro cerca de las pestañas **3**

Aplicación de color en un punto o zona más claro donde convenga, ya sea en la esquina del lagrimal o en la parte de arriba del párpado, cerca de la punta de la ceja **4**

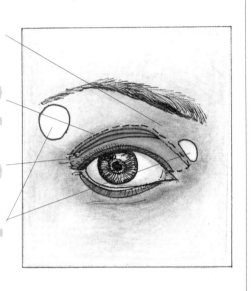

Comience por cubrir toda el área del ojo con una base especialmente formulada para él.

Luego, con una brocha mediana aplique la sombra principal sobre el párpado, hasta la línea de la cuenca del ojo, comenzando desde la esquina interior.

Enseguida, con un pincel más pequeño y puntiagudo corra una raya delgada de una sombra más oscura que el color principal a lo largo del pliegue de la cuenca del ojo, comenzando desde la esquina interior. Si desea un efecto dramático deje la raya así, pero si la quiere más suave, pase una brocha ancha, para desvanecerla ligeramente sobre la sombra principal.

Una opción adicional es usar la misma brocha pequeña para aplicar la sombra más oscura en una línea abajo de las pestañas inferiores, comenzando de la mitad del ojo, hacia la esquina exterior.

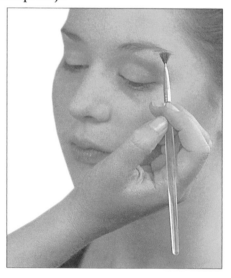

Finalmente, cargue otra brocha pequeña, con una sombra más clara que la principal, quítele un poco de color pasándola por el dorso de su mano, y aplíquela enseguida bajo el área de la ceja, comenzando de la mitad, hasta afuera.

APLICACIÓN DEL DELINEADOR

Comience secando un poco el pincel delineador en un pañuelo desechable, luego, colóquelo en la esquina interior del ojo, arriba de las pestañas y recórralo, con una mano estable a lo largo de la línea de arriba de las pestañas, hasta la esquina exterior, mientras con la otra mano mantiene restirado el párpado.

Para una apariencia dramática, deje la raya como está; para un aspecto más suave, pase con suavidad sobre ella una brocha pequeña y puntiaguda con una sombra oscura, sin que se limpie demasiado la raya del delineador.

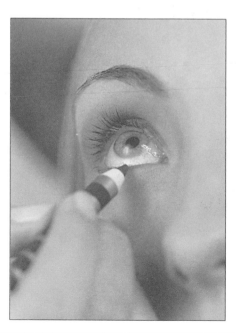

Si las pestañas de abajo se delinean con líquido se logra un efecto duro, pero un lápiz delineador produce un efecto difuso, ligeramente borroso, menos dramático.

Aplicación del rímel

Si las pestañas son rectas conviene ondularlas con el ondulador de pestañas, lo que hará que los ojos se vean más grandes.

Cargue la brocha con rímel y sacuda el exceso sobre un pañuelo desechable, luego, con el párpado ligeramente hacia abajo, pase la brocha desde la raíz de las pestañas de arriba, hasta la punta.

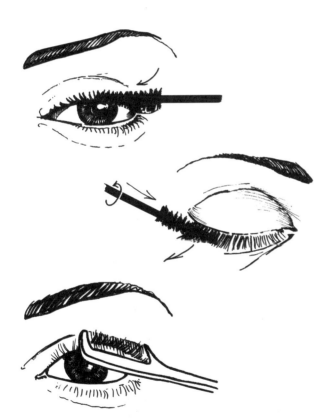

Enseguida, pase otra vez la brocha diagonalmente y finalmente, otra vez recta, girándola, desde las raíces hasta la punta.

Si las puntas se pegan o quedan grumos, pase el peine de pestañas.

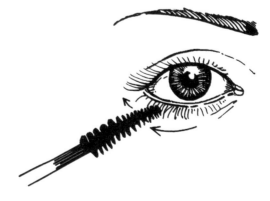

No siempre se pone rímel en las pestañas de abajo, pero si lo hace, hágalo antes que ponerlo en las de arriba. Ello se hace con la punta de la brocha sobre la parte inferior de las pestañas, yendo de la esquina interior a la exterior del ojo.

Aplicación de pestañas

Las pestañas postizas se ponen después de la sombra y el delineado y no son tan difíciles de colocar como uno puede suponer. Con ello, los ojos realzarán con unas pestañas más largas.

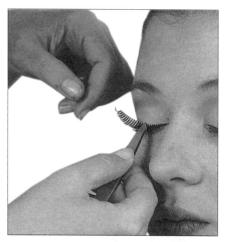

Tome una pestaña postiza con unas pinzas y coloque un poco de pegamento en su borde. Luego, alinee el borde de la pestaña postiza contra el borde de las pestañas naturales y presione lo más cerca que pueda de las raíces, para que la pestaña postiza se pegue, tanto en los extremos como en el centro del párpado.

Mantenga cerrado el ojo medio minuto y enseguida corra una fina línea con delineador sobre la unión.

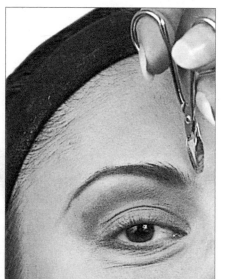

Definición de las cejas

Las cejas bien arregladas vuelven a los ojos más llamativos y los hacen parecer más grandes. Se comienza por quitar alguna ceja fuera de lugar, arrancándola, con unas pinzas, en la dirección que crecen, con un movimiento rápido.

Enseguida, se cepillan las cejas para peinarlas de abajo hacia arriba y de adentro hacia afuera, para definirlas mejor y darle más amplitud al ojo.

Luego, pase el lápiz de cejas muy suavemente para rellenar cualquier hueco y extiéndalas en su extremo exterior, acentuando su arco natural. Luego, cepíllelas de nuevo.

EFECTOS PARA OJOS

Ojos hundidos

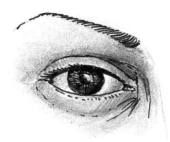

Las sombras claras acercan, adelantan los ojos; en cambio las oscuras los retiran, las llevan atrás. Por eso, con los ojos hundidos se deben usar sombras claras, como el oro o el vainilla, en todo el párpado, arriba y abajo. Si acaso con una ligera sombra oxido o naranja en la parte alta y exterior del mismo, sin sombra en el pliegue. Añada una raya café rojizo para delinear ambas pestañas, y un poco de rímel en las pestañas de arriba.

Ojos redondos

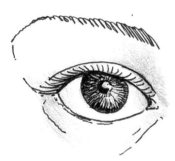

Cuando los ojos son muy redondos es necesario minimizar su apariencia circular creando la ilusión de que el ojo se alarga mediante una sombra mediana (verde claro) y oscura (verde oscuro) en el tercio exterior del párpado, llevándola un poco hacia afuera de la comisura, para alargar el ojo. Encima del verde, en la línea de las pestañas superiores, se aplica un poco de sombra negra. Finalmente, una raya pesada con delineador líquido en el párpado superior, prolongada fuera del ojo, y rímel en las pestañas de arriba, ayudan a alargarlo.

Ojos pequeños

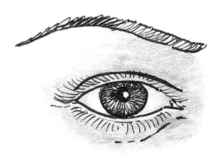
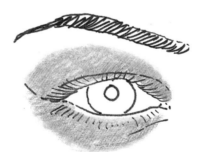
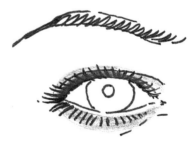

Los ojos pequeños se deben agrandar, abrir, destacar, cosa que se logra al colocarlos en medio de una charca de color, más clara que el ojo, o un poco más oscura, lo que a veces es mejor. Se puede usar una sombra rosa pálido en toda el área del ojo. Además, una sombra café alrededor del ojo, mas difusa en el párpado de abajo, y rímel pesado en ambas pestañas.

OJOS ORIENTALES

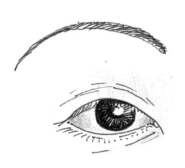
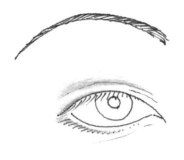

Los ojos orientales requieren enfatizar la línea de las pestañas y el pliegue de la cuenca del ojo. Comience con una sombra blanca en toda el área del ojo. Luego una línea gris difusa en el pliegue de la cuenca del ojo; una sombra azul a lo largo de la línea de las pestañas, que se prolonga un poco en la comisura exterior, y rímel azul en ambas pestañas.

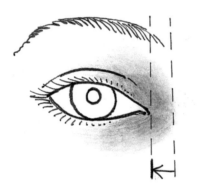
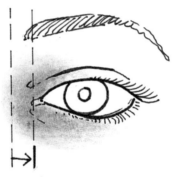

OJOS SEPARADOS

Los ojos separados necesitan acercarse con un poco de sombra oscura en el párpado, cerca del lagrimal, dejando sin definir las esquinas exteriores.

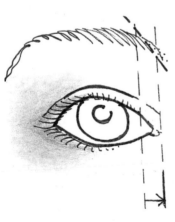
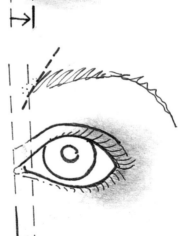

OJOS JUNTOS

Los ojos juntos requieren ser separados mediante sombras en la mitad exterior del párpado, corridas hacia los temporales. También ayuda depilar un poco el extremo interior de las cejas para que parezcan más separadas.

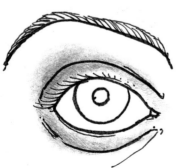
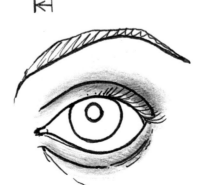

OJOS PROMINENTES

Los ojos prominentes se minimizan un poco con sombras mates medianas que lleven hacia atrás los párpados.

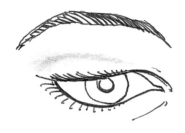

Ojos encapotados

Los ojos encapotados requieren crear un pliegue a la mitad del párpado superior y resaltar las cejas. Las pestañas pueden ir con un color suave. Evite los colores fuertes.

Ojos caídos

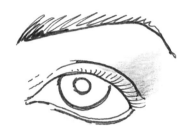

Los ojos caídos deben levantarse con sombras hacia arriba de la mitad del ojo rumbo a los temporales, evitando el delineador, que sólo pondría en evidencia el contorno caído.

Maquillaje de los labios

El maquillaje de los labios consiste en cubrirlos con el color base y, opcionalmente, delinearlos o crear algunos efectos.

El lápiz de labios es emocional y expresivo. Por eso hay maquillistas y modelos que afirman que el color del lápiz de labios debe armonizar más con el estado de ánimo que con la ropa. Afirman que si el lápiz va bien con la cara de ese momento, debe ir bien con todo lo demás, y que si cambia de lápiz de labios, cambia también de estado de ánimo.

El lápiz de labios da el toque final al maquillaje. Comience por colocar como base un poco de humectante. Luego, con una sombra ligeramente más oscura que el color del lápiz labial, delinee el borde natural para que el color no "sangre" y tenga usted una guía más precisa al aplicar la barra de color.

Si en lugar de aplicar el color directamente con la barra se aplica con un pincel, tendrá mucho mejor control. Con la boca ligeramente entreabierta aplique el color desde las comisuras hasta el centro en ambos labios.

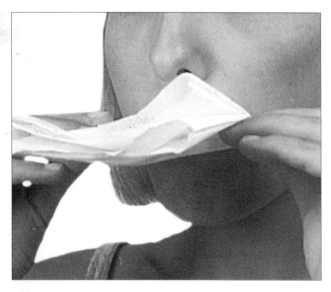

Luego, quite el exceso con un pañuelo desechable presionado ligeramente entre los labios y aplique más color para un efecto más profundo.

Si quiere un acabado mate aplique un poco de polvo translúcido con una brocha. Si quiere un terminado lustroso, ponga encima una capa de brillo transparente.

Efectos para los labios

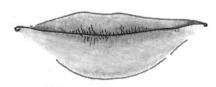

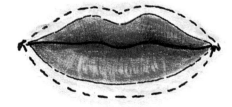

Los labios desiguales se balancean delineando el labio mas delgado un poco afuera de su borde natural ...

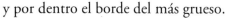

Para que los labios gruesos parezcan más delgados se cubren ligeramente con la base del maquillaje a fin de desdibujar los bordes, para luego delinearlos justamente dentro de su borde natural.

y por dentro el borde del más grueso.